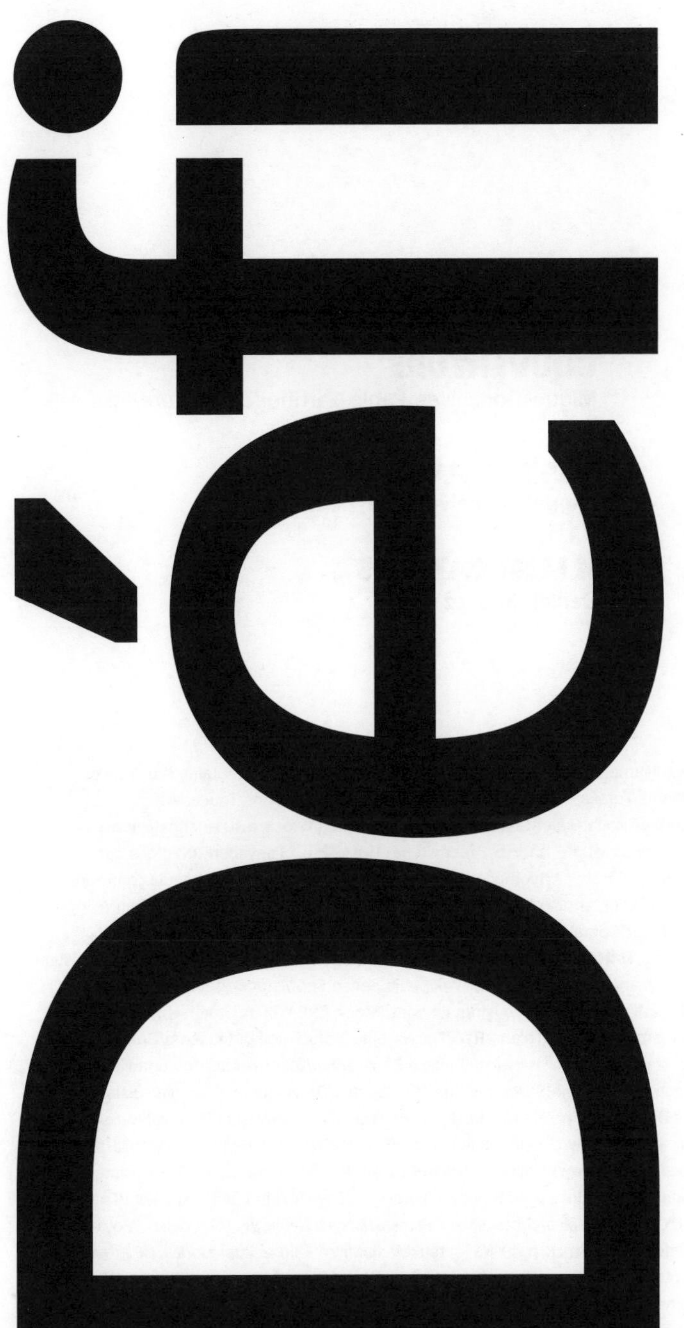

MÉTHODE DE FRANÇAIS
CAHIER D'EXERCICES

Auteures :
Fatiha Chahi
Monique Denyer
Audrey Gloanec

Camille de Rongé (phonétique)
Nancy Verhulst (phonétique)
Alexandra Horquin (DELF)

www.emdl.fr/fle

DÉFI 1 - CAHIER D'EXERCICES - Niveau A1

AUTEURES
Fatiha Chahi
Monique Denyer
Audrey Gloanec
Camille de Rongé *(phonétique)*
Nancy Verhulst *(phonétique)*
Alexandra Horquin *(DELF)*

ÉDITION ET RÉVISION PÉDAGOGIQUE
Audrey Avanzi, Aurélie Buatois, Estelle Foullon, Virginie Karniewicz, Núria Murillo, Araceli Rodríguez *(phonétique)*

CORRECTION
Sarah Billecocq, Martine Chen, Laure Dupont

CONCEPTION GRAPHIQUE ET COUVERTURE
Miguel Gonçalves, Pablo Garrido *(couverture)*

MISE EN PAGE
Miguel Gonçalves, Ana Varela

ILLUSTRATIONS
Daniel Jiménez

©PHOTOGRAPHIES ET IMAGES

Couverture : Meunierd/Dreamstime ;

Unité 1 : p. 5 Pachot/Dreamstime, swissmediavision/Getty, Subsurface/Dreamstime, Evan Lang/Getty, p. 6 PUNTO STUDIO FOTO AG/Fotalia, Subsurface/Dreamstime, jasckal/Fotalia, Riggwelter/WikimediaCommons, DURIS Guillaume/Fotalia, p. 7 Benh LIEU SONG/WikimediaCommons, ToucanWings/WikimediaCommons, Technob105/WikimediaCommons, p. 8 DURIS Guillaume/Fotalia, Bullet_Chained/iStock, shorenated/iStock, p. 10 KristinaVelickovic/iStock, Sudowoodo/iStock, KristinaVelickovic/iStock, Sudowoodo/iStock, Hsc/Dreamstime, Andry5/Dreamstime ; **Unité 2 :** p. 13 anyaberkut/Fotolia, Jirka Matousek/Flickr, krachapol/Fotolia, Narender9/Wikimedia commons, p. 14 Pascal Victor / Artcompress / Royal de Luxe, Diego Delso /Wikimedia commons, p. 15 Creativemarc/Fotolia, bbsferrari/Fotolia, Aqnus/Fotolia, Justin/Fotolia, p. 16 Oleksandr/Fotolia, Difusión, p. 17 Lsantilli/Fotolia, Npada/Fotolia, Laure F/Fotolia, karepa/Fotolia, lefebvre_jonathan/Fotolia, nool/Fotolia, p. 18 Floortje/iStock, SafakOguz/iStock, Neydtstock/iStock, bagi1998/iStock, Empire331/Dreamstime, Chris Brignell/Dreamstime, Venemama/Dreamstime, firina/iStock ; **Unité 3 :** p. 21 PhotoAlto/Alamy, Jenkedco/Dreamstime, MNStudio/Dreamstime, p. 22 Andrey Dybrovskiy/Dreamstime, p. 24 Georges Biard /Wikipedia, Roel Wijnants/Wikipedia, si.robi/Wikipedia, SensorSpot/istock, Brainsil/Dreamstime, LIGHTFIELD STUDIOS/Fotolia, Wayhome Studio/Fotolia, Georges Biard/Wikipedia, p. 26 monkeybusinessimages/iStock, CREATISTA/iStock ; **Unité 4 :** p. 29 Photographerlondon/Dreamstime, Jodiejohnson/Dreamstime, Irina88w/Dreamstime, p. 30 Thierry RYO/Fotolia, Lulu Berlu/Fotolia, Mousemd/Dreamstime, p. 31 in4mal/istock, KatarzynaBialasiewicz/istock, Photoroller/Dreamstime, p. 32 KatarzynaBialasiewicz/iStock, p. 33 Irina88w/Dreamstime, photodanila/istock, marylooo/istock, stockphoto-graf/Fotolia, p. 34 Katarzyna Bialasiewicz/Dreamstime, Bowie15/Dreamstime, Martiapunts/Dreamstime, Katarzyna Bialasiewicz/Dreamstime, Photogl/Dreamstime , Accessony/Dreamstime ; **Unité 5 :** p. 37 Design Pics Inc/Alamy, Martinmark/Dreamstime, Ariwasabi/Dreamstime, s4svisuals/Fotolia, p. 38 sablin/Fotolia, p. 39 Flynt/Dreamstime, p. 40 M_a_y_a/iStock, p. 41 Jane_Kelly/iStock, lushik/iStock, VICTOR/iStock, wernerimages/Fotolia, p. 42 Dorothy Voorhees/Wikipedia, William Murphy/Wikipedia, el heraldo/Wikipedia, Takeaway/Wikipedia ; **Unité 6 :** p. 45 Natallia Yaumenenka/Dreamstime, Ekaterina Pokrovsky/Dreamstime, mast3r/Bigstock, Monkey Business Images/Dreamstime, p. 46 thodonal/Fotolia, zeremskimilan/Fotolia, stokkete/Fotolia, nenetus/Fotolia, Mirko/Fotolia, Richard Van Der Woude/Dreamstime, ake1150/Fotolia, Maica/iStock, shock/Fotolia, Michael Nivelet/Fotolia, delkoo/Fotolia, ChantalS/Fotolia, Eléonore H/Fotolia, p. 47 annecelinemoisan/Fotolia, p. 48 demaerre/iStock, p. 49 WavebreakMediaMicro/Fotolia, kupicoo/iStock, esteves-sabrina/Fotolia, p. 50 eyewave/Fotolia, Starsstudio/Dreamstime, Atlantis/Fotolia, Christian Bertrand/Dreamstime ; **Unité 7 :** p. 53 anouchka/Getty, ISSOUF SANOGO/Getty, PR180.2/Flickr, Mauricio Jordan De Souza Coelh/Dreamstime, p. 54 Anetlanda/Dreamstime, Viorel Dudau/Dreamstime, Arnaud Faucheron/Fotolia, p. 57 Sven Rausch/Fotolia, p. 58 lamyayha/Dreamstime, SanneBerg/iStock, viiwee/iStock, Neyya/iStock, Samotrebizan/Dreamstime, PeopleImages/iStock, Maksym/Fotolia, Dmitry Bairachnyi/Fotolia, Roger Mcclean/Dreamstime, Voyagerix/Dreamstime ; **Unité 8 :** p. 61 Christophe Fouquin/Fotolia, Sigrid Gombert/Getty, Jen Arrr/Wikimedia commons, AlcelVision/Fotolia, p. 62 chrisberic/Fotolia, p. 63 illustrez-vous/Fotolia, M.studio/Fotolia, tarasov_vl/Fotolia, Gcapture/Fotolia, sommai/Fotolia, PhotoKD/Fotolia, djul/Fotolia, p. 64 slalomp/iStock, HLPhoto/Fotolia, p. 65 M.studio/Fotolia, p. 66 izusek/Getty, Juanmonino/iStock, Matyas Rehak/Fotolia, Juanmonino/Fotolia, gpriccardi/Fotolia, Nikolay Grachev/Dreamstime; **DELF :** p. 72, Kzenon/Fotolia, Photographee.eu/Fotolia, Monika Wisniewska/Fotolia, Jason Cartwright/Wikimedia commons, biker3/Fotolia, p. 73 rondabroc/Fotolia, p. 74 philippe Devanne/Fotolia, p. 75 Juan Jose Alvarez Gomez/Wikimedia commons, Georges Biard/Wikimedia Commons, p. 76 Pod666/Dreamstime, gumbao/Fotolia, Hugo Félix/Fotolia, bellastudio/Fotolia, Jean-Michel LECLERCQ/Fotolia, Pxlxl/Dreamstime.

Réimpression : novembre 2019
ISBN édition internationale : 978-84-17249-65-6
Imprimé dans l'UE

www.emdl.fr/fle

SOMMAIRE

Portrait-robot

01

Épeler

1. Ce dessin représente toutes les lettres de l'alphabet. Quelles lettres voyez-vous ? Surlignez les lettres de votre prénom.

A B C D E F G H I J K L M N O P Q R S T U V W X Y Z

2. Écoutez dix prénoms de garçons et de filles très courants aujourd'hui en France. Écrivez-les. (1)

Prénoms de garçons	Prénoms de filles

3. Avez-vous des ami(e)s qui portent des prénoms rares ou étranges ? Épelez-les à un camarade qui les écrit.

....

....

....

4. Écoutez des touristes qui arrivent à l'hôtel pour leurs vacances. Écrivez le numéro de l'audio correspondant à chaque personne. (2)

a. audio numéro : ....

Nom	Prénom	N° de chambre
OBATALA	Samira	3 ▼

b. audio numéro : ....

Nom	Prénom	N° de chambre
YEMAYA	Tom	4 ▼

c. audio numéro : ....

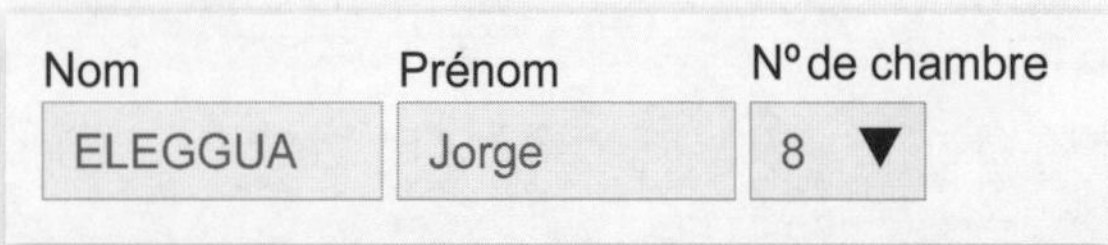

Nom	Prénom	N° de chambre
ELEGGUA	Jorge	8 ▼

5. Un livreur de pizzas arrive chez des clients. Écoutez et cochez les noms correspondants sur les sonnettes. (3)

6. Quels noms de villes françaises connaissez-vous ? À tour de rôle, épelez un nom de ville. Puis vos camarades situent cette ville sur une carte de la France.

• *L, Y, O, N.*

Les articles définis

7. Complétez le nom des monuments de Paris avec l'article défini qui convient.

.... ARC DE TRIOMPHE

.... TOUR EIFFEL

.... PANTHÉON

.... INVALIDES

8. Pour chaque article, écrivez des monuments de votre pays ou d'un pays de votre choix.

Le ....

La ....

L' ....

Les ....

Les chiffres et les nombres de de 0 à 20

9. **Remettez ces chiffres dans l'ordre.**

HUIT DIX QUATRE
TROIS CINQ **NEUF**

trois... ....

....

10. **À la Poste, on appelle les clients par leur numéro. Écoutez et écrivez les numéros entendus en chiffres et en lettres.** 4

a. M. Ali : numéro ......, ...
b. Mme Pergaud : numéro ......, ...
c. M. et Mme Tian : numéro ......, ...

11. **Écoutez l'enseignante et écrivez la note sur 20 de chaque élève.** 5

NOM ET PRÉNOM	NOTE
DIOP Thierry	....../20
KLEE Monique	....../20
LI Zhang	....../20
MOKADI Fatou	....../20
PÉREZ Aldina	....../20
SCHMITT Federike	....../20
SLIMANE Amar	....../20

12. **Et dans votre pays, quel est le système de notation ?**

• *Aux États-Unis, on note avec des lettres.*

Les adjectifs ordinaux

13. **Écrivez, sous chaque plaque et en toutes lettres, dans quel arrondissement se trouvent ces rues de Paris.**

....

....

....

....

14. **Écoutez et indiquez dans quel ordre les clients appellent *Vite Pizza*. Puis, complétez les phrases avec les adjectifs ordinaux corrects.** 6

◯ Mme Dubois
◯ M. Maréchal
◯ Mme Seigner
◯ Mme Doutremont
◯ M. Couturiau
◯ Mme Denfert

a. Mme Dubois est la .... cliente.
b. M. Maréchal est le .... client.
c. Mme Seigner est la .... cliente.
d. Mme Doutremont est la .... cliente.
e. M. Couturiau est le .... client.
f. Mme Denfert est la .... cliente.

15. **De quel siècle datent les monuments suivants ? Indiquez-le en toutes lettres à l'aide des dates.**

premier siècle, 19 : Amphithéâtre les Trois Gaules, Lyon
.........., 40 : Pont du Gard, près de Nîmes
.........., 250 : Abbaye de Saint-Denis, près de Paris
.........., 1336 : Palais des Papes, Avignon
.........., 1519 : Château de Chambord
.........., 1623 : Château de Versailles
.........., 1862 : Opéra Garnier, Paris
.........., 1889 : Tour Eiffel, Paris
.........., 1969 : Tour Montparnasse, Paris
.........., 2013 : MUCEM, Marseille

Les nombres à partir de 20

16. **Quels sont les numéros des métros, bus ou trams que vous prenez ?**

— *Je prends le tram 82 ou le bus 50.*

....

....

17. **Observez le ticket de loto, puis écoutez le tirage. Quel est le billet gagnant ?**

7

Billet						
Billet 1 :	38	32	09	02	74	45
Billet 2 :	32	34	04	05	61	48
Billet 3 :	12	14	07	25	61	48
Billet 4 :	41	34	24	16	43	33
Billet 5 :	12	16	35	22	47	32

18. **Dans un centre commercial, une voiture bloque le passage. Écoutez le message. Quelle est sa plaque d'immatriculation ?**

8

19. **Écoutez et écrivez les numéros de téléphone d'urgence en France. Avez-vous les mêmes dans votre pays ?**

9

20. **Trouvez cinq nombres qui caractérisent votre pays.**

— *La Suisse a 4 langues, 1 monnaie...*

21. **En petits groupes, faites des hypothèses pour associer chaque chiffre à un nom. Puis faites des recherches sur Internet pour vérifier vos réponses et mettez en commun.**

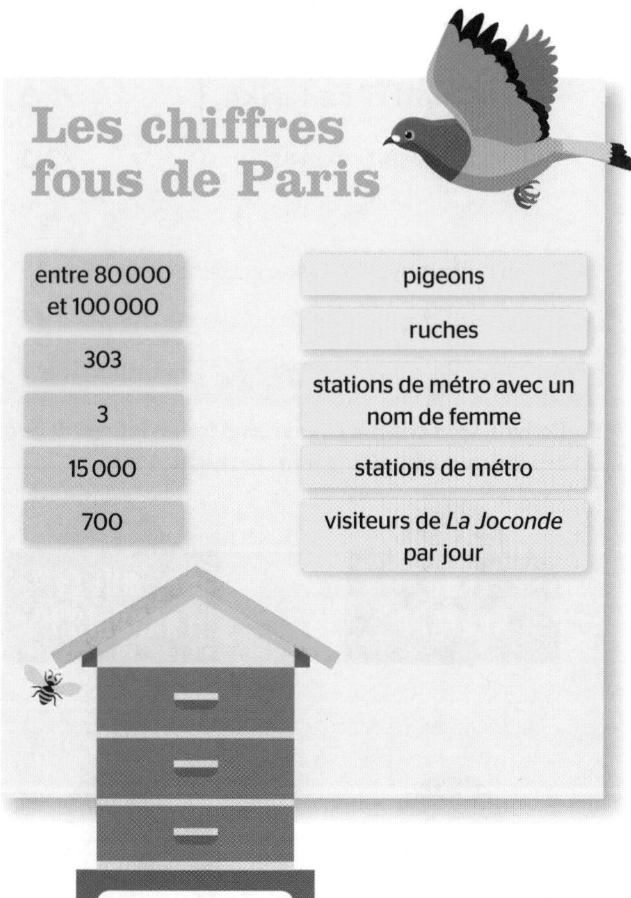

22. **Cherchez des chiffres « fous » sur votre ville. Partagez ces chiffres avec vos camarades. Ils devinent à quoi chaque chiffre correspond. Donnez-leur des indices.**

- *4027, à Barcelone, c'est le nombre de mouettes, de rues ou de bars ?*

23. **Complétez ces titres de livres avec les chiffres manquants écrits en lettres.**

Le Tour du monde en .... jours
Jules Verne

Les .... Nuits
Recueil de contes

....
George Orwell

Ali Baba et les .... Voleurs
Récit populaire

.... ans de solitude
Gabriel García Márquez

.... heures de la vie d'une femme
Stefan Zweig

Le féminin des noms de métier

24. **Dans quel secteur travaillent ces personnes ? Répondez à l'aide de la roue des métiers.**

a. Un conducteur de bus : *transport.*

b. Un professeur : ....

c. Un vendeur : ....

d. Un médecin : ....

e. Un artiste peintre : ....

f. Une cuisinière : ....

g. Un guide touristique : ....

25. **Quel est le féminin ou le masculin de chaque profession de l'activité précédente ?**

....

26. **Écrivez le féminin de ces métiers de la technologie et de l'information. Connaissez-vous ces métiers ? Traduisez-les dans votre langue.**

Développeur informatique ....

Responsable marketing ....

Animateur 3D ....

Spécialiste de bases de données ....

Journaliste en ligne ....

Créateur d'applications numériques ....

Chargé de mission numérique ....

Les verbes *être* et *avoir*

27. À partir des illustrations, que pouvez-vous dire sur ces personnes ?

....
....
....
....
....

....
....
....
....
....

28. Pensez à un pays que vous connaissez bien. Donnez des informations à vos camarades pour qu'ils devinent de quel pays il s'agit.

- *J'ai 46 millions d'habitants, mes voisins sont la France et le Portugal...*

Toute l'unité

29. Complétez votre profil comme dans l'exemple.

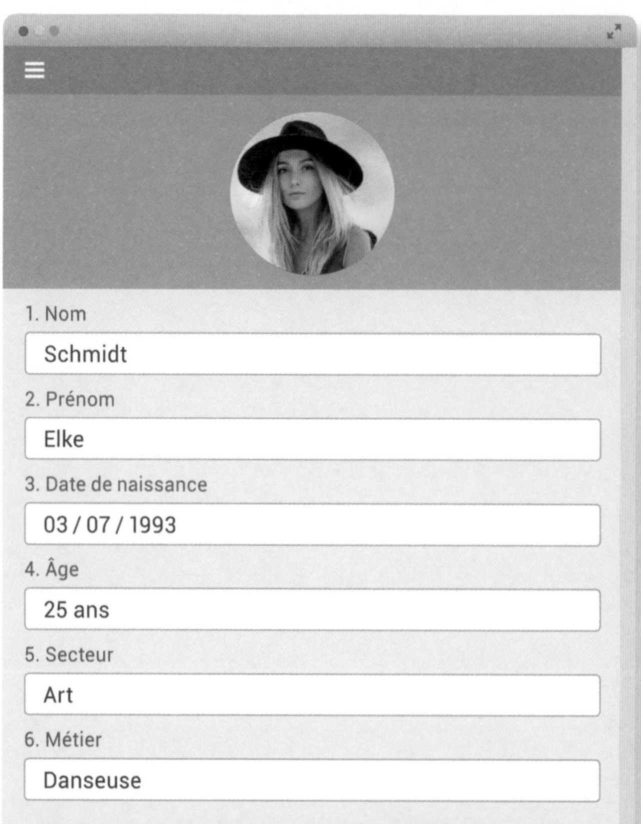

1. Nom
Schmidt
2. Prénom
Elke
3. Date de naissance
03 / 07 / 1993
4. Âge
25 ans
5. Secteur
Art
6. Métier
Danseuse

1. Nom
2. Prénom
3. Date de naissance
4. Âge
5. Secteur
6. Métier

PROSODIE - Accentuation sur la dernière syllabe

30. Écoutez et soulignez la syllabe accentuée comme dans l'exemple. Ensuite, prononcez les mots en insistant sur la dernière syllabe *TA* et en faisant un geste comme dans la capsule.

10

Ex. : ***ville*** : la syllabe accentuée est [vill] (TA)
*Par**is*** : la syllabe accentuée est [Ri] (ti-TA)

1 syllabe (TA)

île tour gare rue quai

2 syllabes (ti-TA)

Eiffel Défense

3 syllabes (ti-ti-TA)

gare du Nord quais de Seine tour Eiffel

4 syllabes (ti-ti-ti-TA)

polytechnique zoo de Vincennes

5 syllabes (ti-ti-ti-ti-TA)

île de la Cité canal Saint-Martin

6 syllabes (ti-ti-ti-ti-ti-TA)

jardin du Luxembourg faubourg Saint-Honoré

PROSODIE - Accentuation sur la dernière syllabe de l'énoncé

31. Écoutez et comptez le nombre de syllabes. Puis, complétez le tableau.

11

	1 syllabe TA	2 syllabes ti-TA	3 syllabes ti-ti-TA	4 syllabes ti-ti-ti-TA	5 syllabes ti-ti-ti-ti-TA
1.					
2.					
3.					
4.					
5.					
6.					
7.					
8.					
9.					
10.					

PROSODIE - Intonation

32. Écoutez et comptez le nombre de syllabes. Écrivez ensuite le mot dans la bonne colonne. Enfin, répétez les mots en faisant un geste comme dans la capsule.

12

un onze treize
quinze dix-sept dix-huit

1 syllabe (TA)	2 syllabes (ti-TA)

PROSODIE - La liaison [z]

33. Écoutez les séries de mots et prononcez-les. Marquez avec ‿ la liaison en [z]. Puis, complétez l'encadré.

13

1. six / six arrondissements / six stations
2. dix / dix euros / dix minutes
3. les / les métros / les euros
4. deux / deux arrêts / deux kilomètres
5. trois / trois minutes / trois heures

La liaison avec le son [z] se produit entre deux mots quand le premier se termine par .... ou .... et que le deuxième mot commence par ....

PROSODIE - Groupe rythmique

34. Écoutez les énoncés et reliez-les au nombre de syllabes. Réécrivez les mots en découpant en syllabe(s) phonétique(s).

14

Sons	Syllabes	Syllabes phonétiques
la Suisse		la / Suisse
la Belgique		
la France	2	
Andorre		
l'Espagne	3	
le Luxembourg	4	
l'Allemagne		
Monaco		

Syllabe phonétique
La syllabe phonétique ne correspond pas toujours à la syllabe graphique à cause de certains phénomènes comme l'enchaînement, la liaison, l'élision ou les lettres muettes.

PHONÉTIQUE - Le verbe *être*

35. Écoutez et répétez les phrases affirmatives en respectant l'accentuation finale et la liaison.
15

1. Je suis Martin.
2. Tu es français.
3. Nous sommes là.
4. Vous êtes dans le métro.

PHONÉTIQUE - Le verbe *avoir*

36. Écoutez et répétez les phrases affirmatives en respectant l'accentuation finale et la liaison.
16

1. J'ai 40 ans.
2. Nous avons deux frères.
3. Tu as vingt-six euros.
4. Vous avez trois enfants.

Autoévaluation

Mes compétences à la fin de l'unité 1

Je suis capable de...	J'ai encore des difficultés à...	Je ne suis pas encore capable de...	
			dire mon identité, mon âge, mon métier.
			parler des lieux de la ville.
			donner des informations avec des chiffres.
			présenter un pays.
			donner des informations sur la France et les Français.

1. **Qu'est-ce que vous avez appris sur la culture française et francophone ?**

2. **Qu'est-ce qui vous a le plus intéressé et / ou étonné ?**

3. **Qu'est-ce qui est différent par rapport à votre culture ? Et qu'est-ce qui est similaire ?**

4. **Vous aimeriez en savoir plus sur...**

D'ici et d'ailleurs

02

Les mots interrogatifs

1. Complétez les présentations de ces événements avec des mots interrogatifs.

©Pascal Victor / Artcompress / Royal de Luxe

C'est ....?
La Petite Géante de la compagnie Royal de Luxe.

C'est ....?
À Nantes, mais aussi dans plusieurs grandes villes de France et du monde !

C'est ....?
Toute l'année !

Ça coûte ....?
Rien. C'est gratuit !

C'est ....?
La Fête de la bière.

C'est ....?
À Munich, en Allemagne.

C'est ....?
En octobre.

Ça coûte ....?
Le prix d'une bière ou de plusieurs !

2. Complétez le questionnaire du magazine et répondez aux questions (les réponses se trouvent dans les unités 1 et 2).

ÇA M'INTRIGUE

1 .... **se trouve le zoo de Vincennes ?**
- ☐ À Bruxelles.
- ☐ À Nantes.
- ☐ À Paris.

2 .... **de lignes de métro il y a à Paris ?**
- ☐ Seize.
- ☐ Vingt.
- ☐ Soixante.

3 .... **a lieu la Zinneke Parade ?**
- ☐ En juin.
- ☐ En mars.
- ☐ En mai.

4 .... **s'appelle le peintre de l'œuvre surréaliste *Le Faux Miroir*?**
- ☐ Léonard de Vinci.
- ☐ René Magritte.
- ☐ Claude Monet.

La phrase interrogative

3. Imaginez des questions pour les réponses suivantes.

— *Où se trouve le musée Magritte ? / Où a lieu la Zinneke Parade ?*

a. ....
À Bruxelles.

b. ....
En décembre.

c. ....
Amalia.

d. ....
10 000.

e. ....
Moi.

f. ....
Le chocolat.

g. ....
Magritte.

h. ....
À Genève.

i. ....
35 ou 40 euros.

L'accord de *quel*

4. Laura s'inscrit à un stage de peinture. Complétez les questions de sa fiche d'inscription et accordez *quel* si nécessaire. Puis, écoutez le dialogue et écrivez ses réponses. 17

Stage de peinture du 15 au 20 août

1. Quel...... est votre nom ?

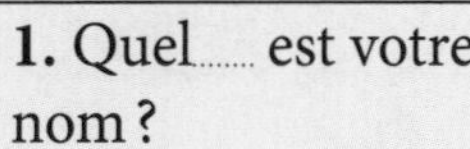

....

2. Quel...... est votre prénom ?

....

3. Quel...... âge avez-vous ?

....

4. Quel...... est votre adresse ?

....

5. Quel...... est votre numéro de téléphone ?

....

6. Quel...... est votre adresse e-mail ?

....

7. Quel...... est votre nationalité ?

....

8. Quel...... est votre profession ?

....

9. Quel...... sont les activités que vous aimez ?

....

5. Écrivez des questions pour un quiz sur votre pays.

a. Quel est ....
b. Quelle est ....
c. Quels sont ....
d. Quelles sont ....

Les prépositions + pays / villes

6. Dans quels pays sont ces villes ?

voyage.def

Stockholm est... ....

....

7. Complétez les phrases. Quelles sont « vos » villes ?

a. Je viens ....
b. Je vais souvent en vacances ....
c. Ma famille habite ....

8. Pensez à vos amis et à votre famille. Dans quelles villes et pays sont-ils en ce moment ?

— *Céline est à Los Angeles, aux États-Unis.*

....

Les prépositions + pays / villes

9. Choisissez un pays de la carte. Lancez le dé et répondez à la question correspondant au chiffre obtenu. Choisissez un autre pays et recommencez. Vous pouvez jouer à deux.

• *Je choisis l'Allemagne. Question numéro 1 : Où habites-tu ? J'habite en Allemagne.*

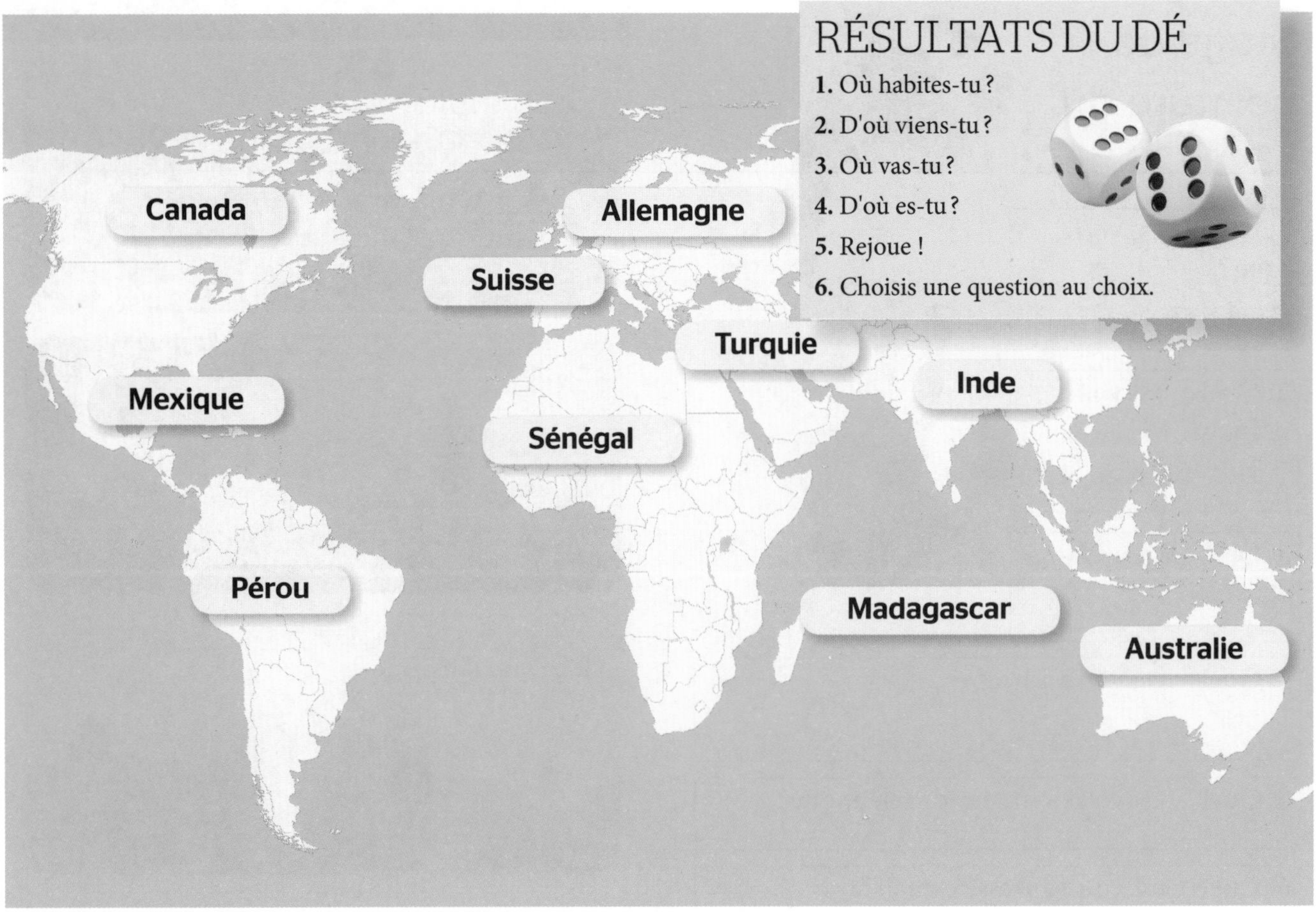

Canada
Allemagne
Suisse
Turquie
Mexique
Inde
Sénégal
Pérou
Madagascar
Australie

RÉSULTATS DU DÉ

1. Où habites-tu ?
2. D'où viens-tu ?
3. Où vas-tu ?
4. D'où es-tu ?
5. Rejoue !
6. Choisis une question au choix.

10. Quels sont les pays voisins de votre pays ? Dessinez une carte et écrivez le nom de ces pays.

— *J'habite au Mexique. Les pays voisins sont le Belize,...*

Venir de

11. De quel pays viennent ces aliments et épices ? Complétez. Faites des recherches sur Internet si nécessaire.

Le kaki vient de / d' ....

Le litchi vient de / d' ....

Le wakamé vient de / d' ....

Le safran vient de / d' ....

Les baies de goji viennent de / d' ....

Le boulgour vient de / d' ....

Les verbes *venir* et *aller*

12. Les élèves d'un cours de français se présentent sur une plateforme en ligne. Complétez leurs présentations avec les verbes *aller* et *venir* au présent.

a. Je m'appelle Pedro, je .... d'Espagne mais je vis au Portugal. Pour mon travail, je .... souvent aux États-Unis.
b. Nous, c'est Ximena et Noelia ! Nous .... en Belgique pour faire nos études. Nous .... du Pérou et nous .... souvent en Colombie pour voir nos cousines.
c. Moi, c'est Ian. Je .... de Christchurch, en Nouvelle-Zélande. Je .... souvent aux Pays-Bas pour mon travail mais j'habite à Grenoble parce que j'adore l'escalade.

13. Présentez les personnes de l'activité précédente.

a. Pedro .... d'Espagne. Il .... souvent aux États-Unis.
b. Ximena et Noelia .... du Pérou et elles .... en Belgique pour faire leurs études.
c. Ian .... de Nouvelle-Zélande et .... souvent aux Pays-Bas.

Le verbe *aimer*

14. Complétez ces dialogues avec les terminaisons des verbes *aimer*, *adorer* et *préférer*.

a.
– Vous aim........ skier ?
– Moi, oui, j'ador........ skier. Mais Paul n'aim........ pas du tout.

b.
– Manu et moi, nous aim........ beaucoup le Maroc.
– Et quelles villes préfér........-vous ?
– Moi, j'aim........ beaucoup Marrackech et Manu ador........ Essaouira parce qu'il aim........ faire du surf.

c.
– Tu aim .... le sirop d'érable ?
– Non, c'est trop sucré.

d.
– Nous aim........ beaucoup le thé à la menthe.
– Oui, ce n'est pas mal mais, moi, je préfèr........ le café.

15. Présentez-vous ! Complétez votre étoile comme dans l'exemple. Puis posez des questions à un/e camarade pour compléter son étoile.

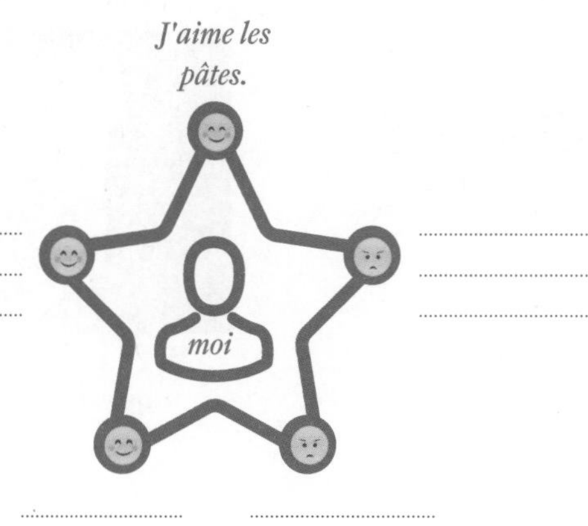

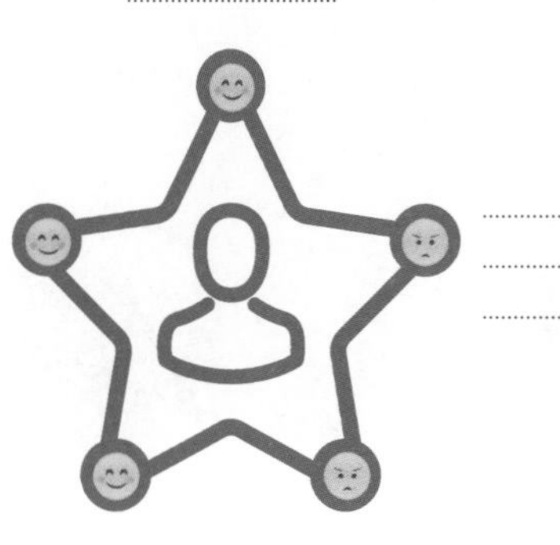

Les articles définis et indéfinis

16. Lisez ces phrases. Quand utilise-t-on les articles définis et quand utilise-t-on les articles indéfinis ? Échangez en petits groupes.

a. J'aime **le** chocolat.
b. J'achète **des** tablettes de chocolat suisse.

c. J'aime **le** vin.
d. J'achète **une** bouteille de vin.

e. J'aime **les** BD.
f. J'achète **des** BD de *Titeuf*.

17. Voici les souvenirs de voyage de Philippe. Complétez les articles devant chaque nom. Quels sont vos souvenirs préférés ? Échangez avec un/e camarade.

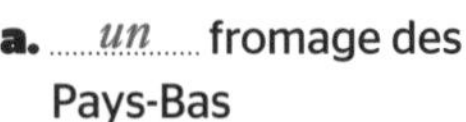

a. ...*un*... fromage des Pays-Bas

b. .... tapis de Turquie

c. .... piments du Sénégal.

d. .... paquet de café de Colombie

e. .... théière du Maroc

f. .... chapeau de Chine

g. .... bouteilles de bière de Belgique

h. .... casquette des États-Unis

• *Moi, j'aime beaucoup le fromage néerlandais !*
◦ *Moi, aussi, mais je préfère les bières belges.*

Moi aussi / Moi non plus

18. Dans ces extraits de films, les personnages disent ce qu'ils aiment et ce qu'ils n'aiment pas. Avez-vous les mêmes goûts ?

J'aime jouer au foot, j'aime jouer sur l'ordinateur. J'aime jouer avec les jolies filles, aller en vacances aux Antilles, les frites, le zouk et le dance hall.

J'aime pas la Star Academy, les hommes politiques, la guerre en Irak, les profs, les maths, les racistes.

Carl,
Entre les murs

Amélie Poulain n'aime pas : avoir les doigts plissés par l'eau chaude du bain ; être, par quelqu'un qu'elle n'aime pas, effleurée de la main ; avoir les plis du drap imprimés sur la joue le matin.

Amélie Poulain aime : les costumes des patineurs artistiques de TF1 ; faire briller le parquet avec des patins ; vider son sac à main, bien le nettoyer et tout ranger enfin.

La mère d'Amélie,
Le fabuleux destin d'Amélie Poulain

— *Moi aussi, j'aime jouer au foot.*
....
....
....
....
....
....

19. Écrivez un texte pour présenter vos goûts à l'aide de l'activité précédente.

PROSODIE - Discrimination auditive

20. Écoutez les phrases suivantes. Pour chaque phrase, indiquez si l'intonation monte (↗) ou descend (↘). Puis, ajoutez la ponctuation à la fin de chaque phrase. 18

	(↗)	(↘)
1. La Zinneke parade, c'est quoi		
2. C'est un grand défilé multiculturel		
3. Combien ça coûte		
4. C'est gratuit		
5. Cela se passe où et quand		
6. À Bruxelles, en mai		

L'intonation
En général, si l'intonation monte (↗), c'est une question (?) et si l'intonation descend (↘), c'est une affirmation (.).

PROSODIE - Ponctuation finale

21. Écoutez les phrases suivantes. Pour chaque phrase, écrivez la ponctuation finale. 19

	.	?
1.		
2.		
3.		
4.		
5.		
6.		

PROSODIE - Groupe rythmique

22. Écoutez et répétez les phrases en respectant le groupe rythmique. Observez la liaison en [t]. 20

1. C'est‿un défilé.
2. C'est‿un grand défilé.
3. C'est‿un grand défilé multiculturel.
4. C'est‿un grand défilé multiculturel à Bruxelles.

PHONIE-GRAPHIE - Le son [E]

23. Écoutez et soulignez dans chaque mot les graphies qui se prononcent [E]. Écrivez ensuite les trois graphies différentes du son [E]. 21

parlé | détesté | mangez | spécialité

adorer | voyagé | visitez | acheter

....

graphies

PHONIE-GRAPHIE - L'adjectif *quel*

24. Dans les phrases suivantes, soulignez l'adjectif interrogatif [kɛl]. Écoutez et cochez le genre et le nombre dans chaque énoncé du tableau. 22

1. Quel âge tu as ?
2. Quelles sont les trois langues officielles de la Belgique ?
3. Quelle est ta fête préférée ?
4. Quel produit est belge ?
5. Quelle est la mer de la Belgique ?
6. Quels produits sont typiquement belges ?

	GENRE		NOMBRE	
	Masculin	**Féminin**	**Singulier**	**Pluriel**
1.	x		x	
2.				
3.				
4.				
5.				
6.				

25. Écoutez de nouveau les phrases de l'activité précédente et cochez l'option correcte dans l'encadré. 22

Les différentes formes de l'adjectif interrogatif ont :
- une prononciation ☐ identique ☐ différente
- une graphie ☐ identique ☐ différente

PHONÉTIQUE - Les syllabes accentuées

26. Soulignez les syllabes finales accentuées des groupes rythmiques. Ensuite, prononcez ces phrases en les chuchotant à votre camarade et en exprimant clairement la syllabe finale accentuée.

Ex. : « Au SénéGAL, on aime les piMENTS. »
= [oseneGAL | õnEmlEpiMÃ]

1. Au Sénégal, on aime les piments.
2. Les Canadiens aiment le ski.
3. À Tahiti, on n'aime pas le froid.
4. J'aimerais aller en Suisse parce que j'aime skier.
5. Les Français aiment les croissants et le fromage.

PROSODIE - Nombre de syllabes et enchaînement

27. Écoutez ces phrases. Vous entendez combien de syllabes ? Complétez le tableau. Puis, écoutez et répétez les phrases en respectant le groupe rythmique.
23

	TA	ti TA	ti-ti-TA	ti-ti-ti-TA	ti-ti-ti-ti-TA
1. J'aime.					
2. J'aime bien.					
3. J'aime un peu.					
4. Je n'aime pas.					
5. Je n'aime pas beaucoup.					
6. Je n'aime pas du tout.					

PROSODIE - Rythme et expression

28. À deux, écoutez et jouez les dialogues. Respectez le rythme et les intonations.
24

1. • Tu aimes la BD *Titeuf* ?
◦ Ah, oui ! J'aime bien, mais je préfère *Tintin*.
• Ah bon, pas moi !

2. • Vous aimez le chocolat ?
◦ Oui !!! J'adore le chocolat, surtout le chocolat suisse !
• Moi aussi, il est délicieux !

3. • Milo aime les cloches de vache. Moi, je trouve ça kitch.
◦ Ah bon, moi pas, je trouve ça drôle !

PROSODIE - Liaison et négation

29. Écoutez et marquez la liaison avec ‿. Puis, cochez la bonne réponse dans l'encadré.
25

1. Nous aimons le Laos.
2. Vous aimez la Suisse.
3. Ils aiment le fondant au chocolat.
4. Nous n'aimons pas le Laos.
5. Vous n'aimez pas la Suisse.
6. Ils n'aiment pas le fondant au chocolat.

Dans la phrase négative :
☐ on fait la liaison entre le pronom sujet et le verbe.
☐ on ne fait pas la liaison entre le pronom sujet et le verbe.

Autoévaluation

Mes compétences à la fin de l'unité 2

Je suis capable de / d'...	J'ai encore des difficultés à...	Je ne suis pas encore capable de / d'...	
			indiquer la provenance et l'origine.
			marquer mon accord ou mon désaccord.
			dire ce que j'aime et ce que je n'aime pas.
			donner des informations sur un pays.

Mon bagage sur cette unité

1. Qu'est-ce que vous avez appris sur la culture française et francophone ?

....

....

2. Qu'est-ce qui vous a le plus intéressé et / ou étonné ?

....

....

3. Qu'est-ce qui est différent par rapport à votre culture ? Et qu'est-ce qui est similaire ?

....

....

4. Vous aimeriez en savoir plus sur...

....

....

Un air de famille

03

Les liens de famille et les déterminants possessifs

1. Observez l'arbre généalogique de la famille de Pascal. Complétez les flèches comme dans l'exemple avec un déterminant possessif et le lien de famille.

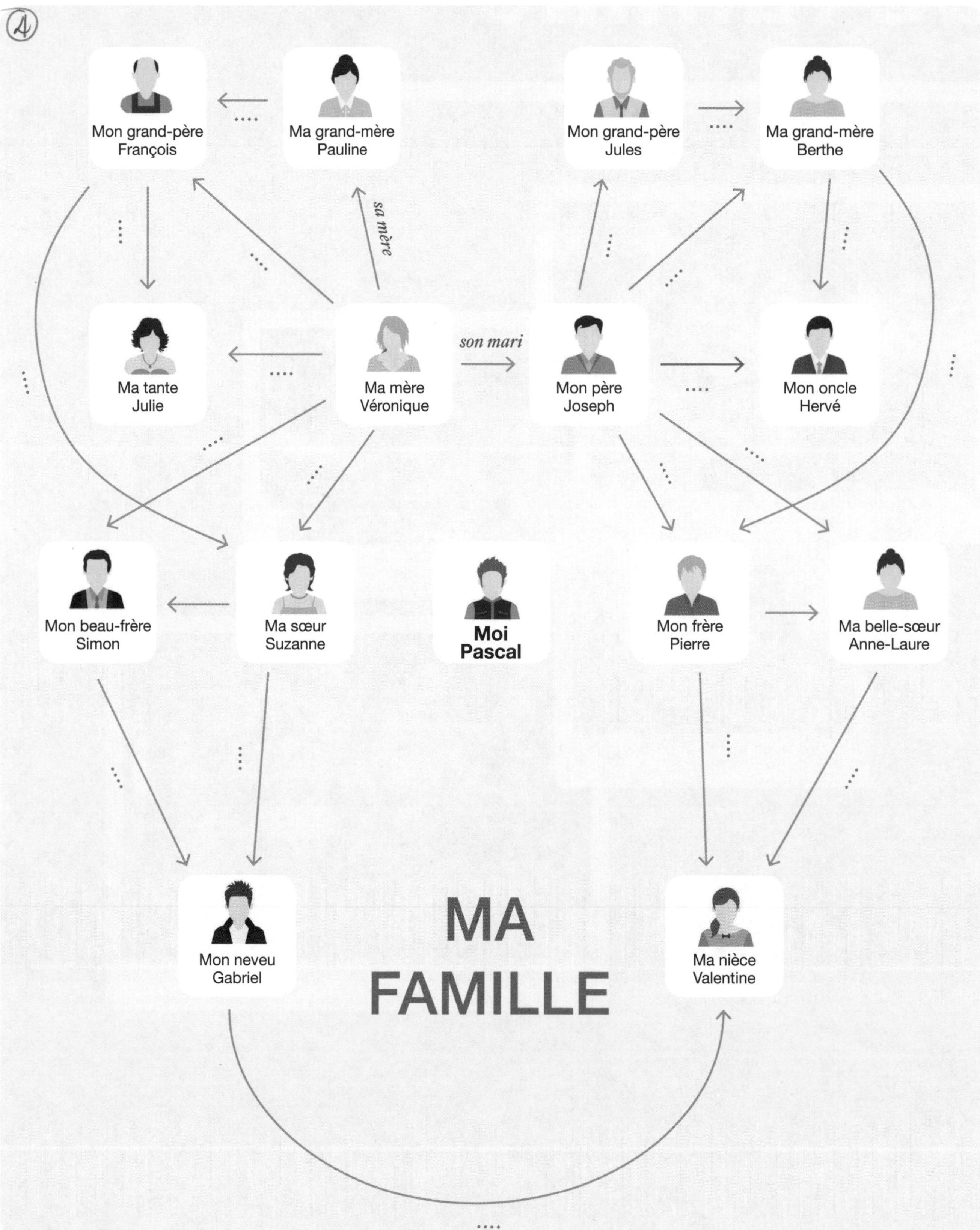

2. Observez l'arbre généalogique de la famille Grand. Écrivez sept liens de famille de Maël comme dans l'exemple.

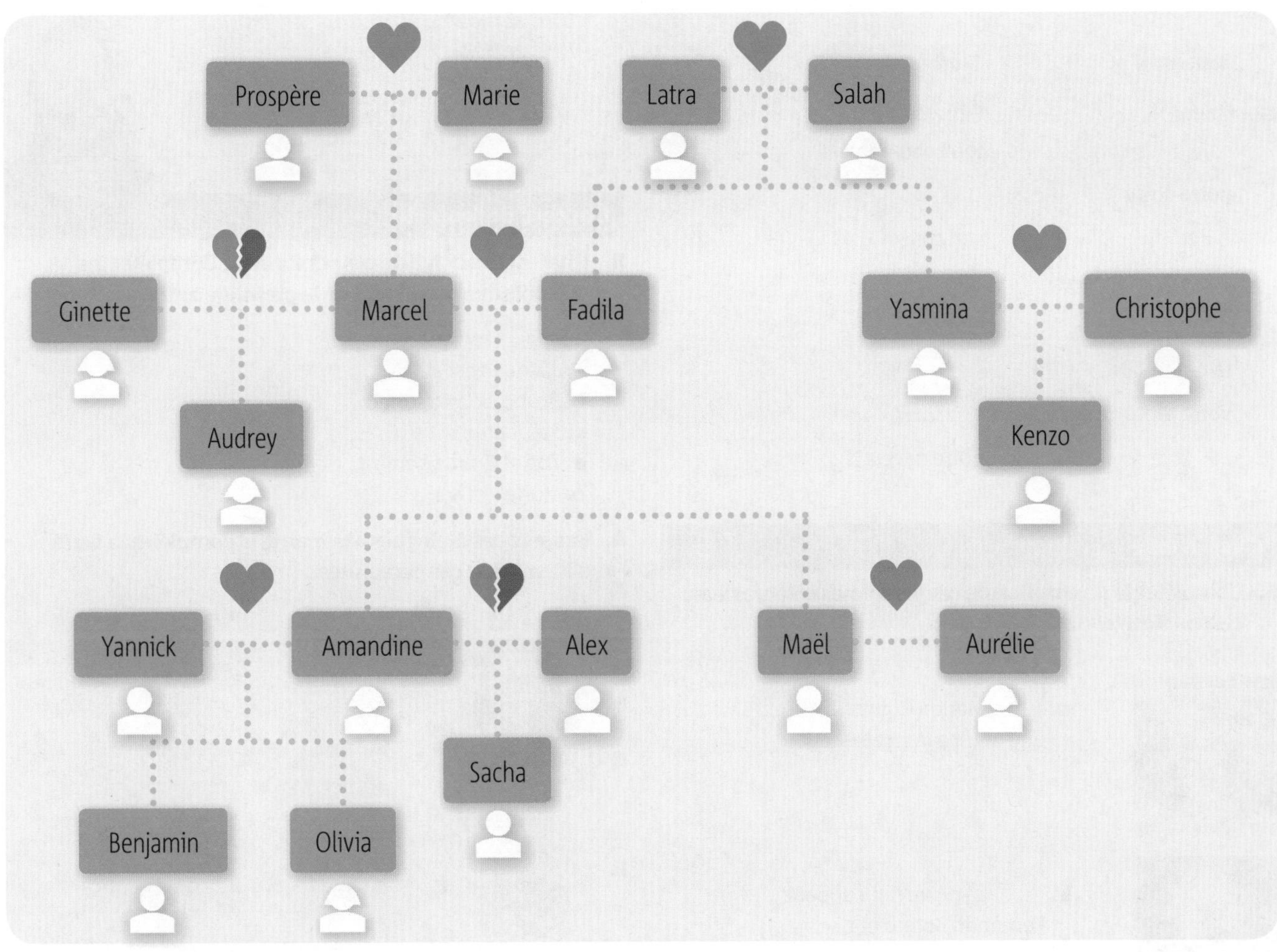

— *Maël : c'est le fils de Marcel et de Fadila.*

....

....

....

....

....

....

3. Dans cette famille, qui suis-je ? Répondez aux devinettes comme dans l'exemple.

a. Je suis la fille unique de ce couple.
— *Je suis Audrey, la fille unique de Ginette et Marcel.*

b. Ma fille a une fille qui a 3 enfants : deux garçons et une fille.

....

c. Mes parents sont divorcés et j'ai un demi-frère et une demi-sœur.

....

d. J'ai une sœur. Elle est mariée et elle a un fils.

....

e. Nous avons deux filles.

....

f. Je suis marié et je n'ai pas d'enfants.

....

Les liens de famille et les déterminants possessifs

4. Complétez le tableau.

Femmes	Hommes
ma mère	*mon père*
....	ton beau-père
notre sœur	....
....	son cousin
votre grand-mère	....
....	leur fils
ta petite-fille	....
votre tante	....
....	notre neveu

C'est / Il est

5. Complétez la description de ces personnes célèbres avec *c'est* ou *il est / elle est*.

a. .... Marion Cotillard, ... une actrice française.

b. .... un peintre. Il s'appelle Fernando Botero et .... colombien.

c. .... Roger Federer, ... un joueur de tennis et .... suisse.

Les adjectifs de caractère

6. Associez ces émoticones avec les adjectifs de caractère.

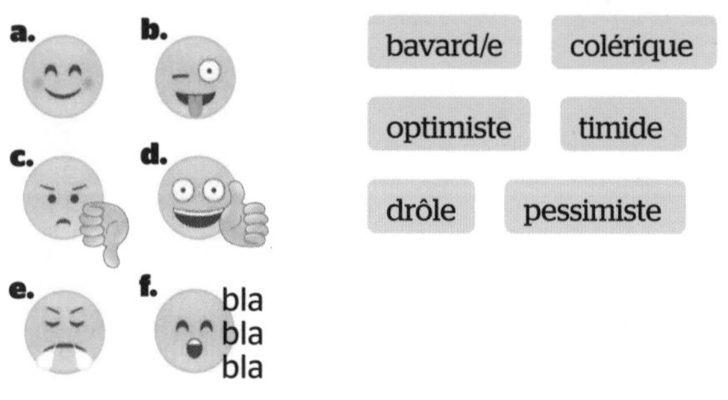

7. Mimez le caractère de deux personnes de votre famille. Vos camarades devinent l'adjectif.

• *C'est ma sœur.*
◦ *Elle est drôle !*

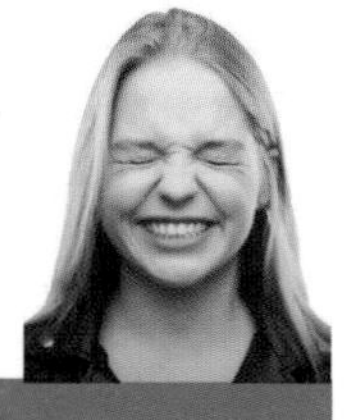

L'accord de l'adjectif

8. Quel est l'état civil de ces personnes ? Complétez les adjectifs en vous aidant de la première lettre.

— *Jacques est divorcé.*

a. Jacques est **d**...............................
b. Bruno et Loïc sont **c**...............................
c. Stéphanie est **s**...............................
d. Zoé et Emma sont **m**...............................
e. Muriel est **v**...............................

9. Écoutez ces dialogues à la mairie et complétez la fiche d'identité de ces personnes. 26

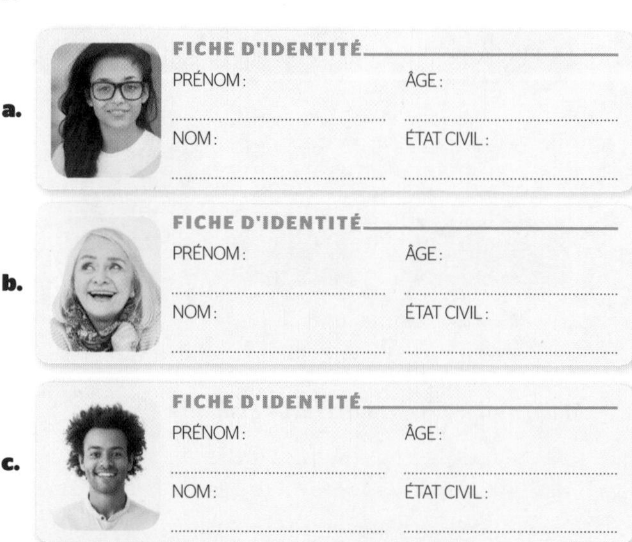

a. FICHE D'IDENTITÉ
PRÉNOM : .... ÂGE : ....
NOM : .... ÉTAT CIVIL : ....

b. FICHE D'IDENTITÉ
PRÉNOM : .... ÂGE : ....
NOM : .... ÉTAT CIVIL : ....

c. FICHE D'IDENTITÉ
PRÉNOM : .... ÂGE : ....
NOM : .... ÉTAT CIVIL : ....

10. Lisez l'article et entourez l'adjectif correct.

Place aux artistes !

Tahar Rahim est un jeune acteur **français / française** d'origine **algérien / algérienne**. Depuis 2010, il est **marié / mariée** avec l'actrice Leïla Bekhti.

Omar Sy est un acteur et humoriste **français / française** de père **sénégalais / sénégalaise** et de mère **mauritanien / mauritanienne**. Cet acteur drôle et **attachant / attachante** est la personnalité **préféré / préférée** des Français en 2016. Il est **marié / mariée** et a cinq enfants. Aujourd'hui, il joue dans de grands films d'Hollywood (*X-Men, Jurassic World*...).

Le féminin des nationalités

11. Observez ces stéréotypes et devinez les nationalités de ces personnages. Comparez avec un/e camarade.

a. ....
b. ....
c. ....
d. ....
e. ....
f. ....

12. Complétez cet extrait de chanson avec les adjectifs de nationalité des étiquettes à la forme correcte.

grec | suisse | italien | brésilien | algérien | arabe | japonais

Ta voiture est ....
Ton couscous est ....
Ta démocratie est ....
Ton café est ....
Ton chianti est ....

Et tu reproches à ton voisin d'être un étranger.

Ta montre est ....
Ta chemise est indienne.
Ta radio est coréenne.
Tes vacances sont tunisiennes.
Tes chiffres sont ....
Ton écriture est latine.

Et tu reproches à ton voisin d'être un étranger.

(Julos Beaucarne)

13. Pensez aux objets que vous avez chez vous. Dessinez-les, puis rédigez un petit texte à l'aide de la chanson de l'activité précédente.

— Ma theière est marocaine, mes meubles sont suédois...

Les connecteurs logiques *et, ou, mais*

14. Associez les éléments des trois colonnes pour former des phrases.

1. Il est marié **2.** Il est marié	et ou	**a.** il a un enfant. **b.** célibataire ?
3. Mon père a une compagne **4.** Mon père a une compagne	et mais	**c.** ils ont une fille, ma demi-sœur. **d.** ils n'ont pas d'enfants.
5. Elle est journaliste **6.** Elle est journaliste	et ou	**e.** photographe, je ne suis pas sûre... **f.** photographe.
7. C'est son neveu	mais ou	**g.** son cousin ? **h.** il est plus agé que lui.

15. Complétez l'article à l'aide des étiquettes. Vérifiez vos réponses à l'aide de l'article de la page 48 du livre de l'élève.

et | mais

En 1982, Nicolas se marie avec Marie-Dominique. Ils ont deux enfants, Pierre .... Jean. En 1994, Nicolas rencontre Cécilia, ... elle est mariée et a deux filles, Judith .... Jeanne-Marie. Deux ans après, Nicolas et Cécilia se remarient.

Toute l'unité

16. Observez ces deux photos de famille. Pour chaque photo, choisissez une personne et présentez votre famille (type de famille, liens de famille, traits de caractère, nationalité...).

17. Complétez cet alphabet avec des mots de l'unité 3.

A
B
C
D *divorce*
E
F
G
H
I
J
K
L
M
N
O
P *PACS*
Q
R *recomposée (famille)*
S
T
U
V
W
X
Y
Z

PROSODIE - Énumération - intonation montante

18. Écoutez les phrases suivantes et cochez la case correspondant à l'intonation entendue.
27

	↗	↘	... ↘
1. Tu es marié?	X		
2. Je suis marié.			
3. Vous avez eu beaucoup d'enfants ?			
4. Il y a Julie, Sophie, Louise et Véronique.			
5. Vous avez beaucoup d'enfants?			
6. Il est en couple, séparé, divorcé ou célibataire?			
7. Elle est amie avec un Irlandais, un Brésilien, un Français et un Belge.			

Intonation
Dans les interrogations, l'intonation est montante. ↗
Dans les affirmations, l'intonation est descendante. ↘
Dans les énumérations, l'intonation est constante, puis descendante. ... ↘

PROSODIE - Phénomène de liaison obligatoire en [n]

19. Écoutez et tracez un ‿ lorsque la liaison en [n] est obligatoire. Puis, complétez l'encadré.
28

1. mon oncle
2. mon grand-père
3. ton enfant
4. ton fils
5. son petit-fils
6. son amoureux
7. On s'est rencontrés très jeunes.
8. On a eu beaucoup d'enfants.

• Que remarquez-vous concernant le [n] ?
.... + voyelle = liaison

20. Écoutez et marquez avec un ‿ la liaison obligatoire. Puis, répétez les phrases.
29

1. Mon anniversaire est le même jour que celui de mon grand-père.
2. Ton oncle a un enfant?
3. Ce mariage est une réussite!
4. On a trois fils et une fille.
5. Nous aimerions réaliser son arbre généalogique.
6. Son cousin a trois ans de plus que lui.

PROSODIE - Phénomène de liaison avec [z], [n], [t], [r]

21. Écoutez. Quelle consonne de liaison entendez-vous avec le mot *ami*?
30

	[z]	[t]	[n]	[R]
1.				
2.				
3.				
4.				

Liaisons obligatoires
La liaison est obligatoire entre :
• un pronom et un verbe : *ils‿habitent.*
• un déterminant et un nom : *des‿amis, mon‿ami, leurs‿amis.*
• après 1, 2, 3, 6 et 10 : *J'ai deux‿enfants.*
• entre une préposition et un déterminant : *J'habite chez‿une amie, dans‿une belle ville.*

[z] (graphies s, *x, z) : des‿amis, dix‿amis, chez‿elle*
[t] (graphie *t* ou *d) : son petit‿ami, un grand‿ami*
[n] : *un‿enfant*
[R] : au *premier‿étage*

22. À deux, tracez un ‿ pour chaque liaison obligatoire. Puis répétez chaque phrase à tour de rôle.
31

1. Les parents interdisent à leurs enfants de regarder des séries.
Les enfants peuvent regarder des séries.
2. Vous avez deux enfants?
Vous voulez quatre enfants?
3. C'est son grand frère.
C'est son grand ami Paul.
4. Ils habitent à Marseille.
Elle habite dans le nord de la France.
5. Son enfant est à l'école primaire.
Ton fils ne va pas dans cette école?
6. On a six enfants !
On veut cinq enfants!
7. Ton premier enfant est grand?
Ton premier mariage s'est mal terminé.

PHONÉTIQUE - Les adjectifs de nationalité

23. Écoutez. La prononciation des adjectifs masculins et féminins est-elle différente ou identique ? Cochez dans le tableau. 32

	Masculin = Féminin	Masculin ≠ Féminin
1.		
2.		
3.		
4.		
5.		
6.		

Les adjectifs de nationalité

- Au féminin, on entend la consonne finale de l'adjectif [fʀɑ̃sɛ**z**], [ɑlmɑ̃**d**].
- Les formes les plus courantes sont : *ais-aise* [pɔʁtygɛ] / [pɔʁtygɛz] ; *ois-oise* [ʃinwa] / [ʃinwaz]; *ain-aine* [ameʁikɛ̃] / [ameʁikɛn] ; *ien-ienne* [venezyəljɛ̃] / [venezyəljɛ̃n]
- La prononciation de certains adjectifs de nationalité est identique au masculin et au féminin [bɛlʒ], [syis].

24. Écoutez. Barrez les voyelles et les consonnes qui ne se prononcent pas. Ensuite, répétez. 33

1. anglais / anglaise
2. colombien / colombienne
3. marocain / marocaine
4. bulgare / bulgare
5. suédois / suédoise

Autoévaluation

Mes compétences à la fin de l'unité 3

Je suis capable de / d'...	J'ai encore des difficultés à...	Je ne suis pas encore capable de / d'...	
			parler de la famille.
			préciser des liens familiaux.
			indiquer l'état civil et la nationalité.

Mon bagage sur cette unité

1. **Qu'est-ce que vous avez appris sur la culture française et francophone ?**

   ....

   ....

   ....

2. **Qu'est-ce qui vous a le plus intéressé et / ou étonné ?**

   ....

   ....

   ....

3. **Qu'est-ce qui est différent par rapport à votre culture ? Et qu'est-ce qui est similaire ?**

   ....

   ....

   ....

4. **Vous aimeriez en savoir plus sur...**

   ....

   ....

   ....

Entre quatre murs

Les types de logements et les pièces de la maison

1. Complétez les définitions à l'aide des étiquettes.

l'escalier | le couloir | le salon | le bureau | la chambre | la salle de bains | la salle à manger | la cuisine

a. C'est la pièce pour cuisiner : ....
b. C'est la pièce pour se laver : ....
c. C'est la pièce pour manger : ....
d. C'est la pièce pour dormir : ....
e. C'est la pièce pour regarder la TV : ....
f. Ça sert à passer d'une pièce à l'autre : ....
g. Ça sert à monter au premier étage : ....
h. C'est la pièce pour travailler : ....

2. Dans votre ville, quel type de logement peut-on louer avec 800 € par mois ? Décrivez ce logement.

— Dans ma ville, pour 800 €/mois, on peut louer un superbe appartement de 150 m² avec cinq chambres...

3. Écoutez la conversation. Quel logement cherche Marc ? Cochez la photo correspondant à sa description. 34

4. Réécoutez le dialogue et dites si ces affirmations sont vraies ou fausses. 34

a. Marc cherche une maison luxueuse. VRAI / FAUX
b. Marc cherche une maison pour recevoir ses amis et sa famille. VRAI / FAUX
c. Son amie veut acheter un appartement. VRAI / FAUX

Les prépositions de localisation

5. Observez le plan, puis retrouvez de quelle pièce il s'agit dans les phrases.

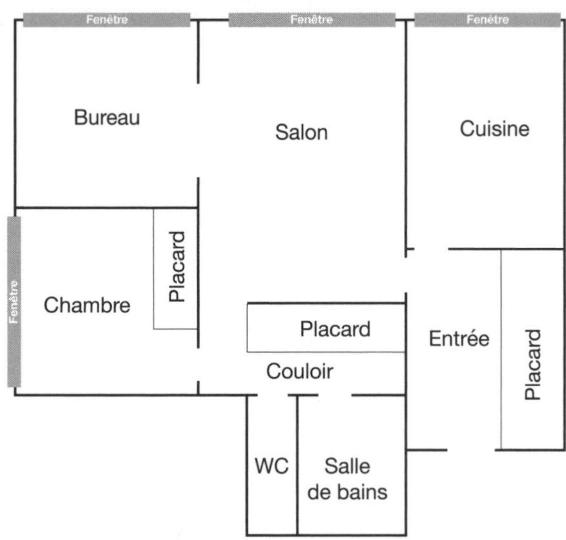

a. Elle est en face de l'entrée : ....
b. Il est entre le bureau et la cuisine : ....
c. Il est à gauche du salon : ....
d. Elle est à droite des W.C. : ....
e. Elle est au fond de l'appartement, à gauche : ....

6. Comment est agencé cet appartement ? Décrivez-le.

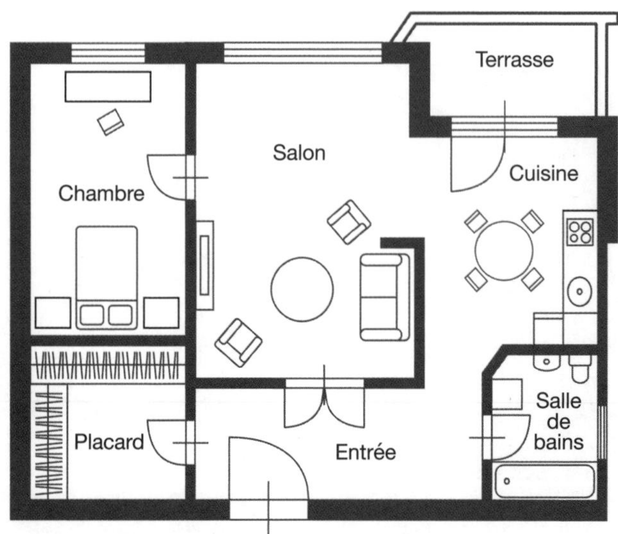

7. **Pour chaque pièce du plan de l'activité 5, écrivez le plus de phrases possible avec une préposition différente à chaque fois.**

— *La chambre : Elle est au fond du couloir à gauche. Elle est à côté du bureau.*

Il y a / Il n'y a pas de

8. **Observez ces photos et écrivez ce qu'il y a et ce qu'il n'y a pas dans chaque pièce, puis comparez avec ce qu'il y a dans votre cuisine et dans votre salon.**

— *Dans la cuisine, il n'y a pas de....*

Les adjectifs pour décrire un appartement

9. **Écrivez une annonce pour vendre cette maison. Commentez chaque pièce... Soyez créatifs !**

— *Magnifique maison de deux étages, très lumineuse...*

Description du lieu

Les adjectifs pour décrire un appartement

10. **Lisez cet échange d'e-mails et écrivez l'annonce de l'appartement qu'Antoine a visité.**

De : a.dasilva@mail.defi
À : lise.b@mail.defi
Objet : Re : appart

Pff, une vraie catastrophe. C'est tout le contraire de ce qui était écrit dans l'annonce.

L'appartement est horrible, petit, très mal agencé : il y a beaucoup de place perdue. En plus, comme il est au rez-de-chaussée, il n'y a pas de lumière naturelle : il est très sombre !

La cuisine est vieille et pas du tout équipée. Le seul appareil électroménager est un vieux micro-ondes ! Le salon est minuscule et les chambres... ça, pour être petites, elles sont petites !

Ah, et j'oubliais... Il y a une discothèque juste à côté. Donc, c'est bruyant !!!

Bref, rien à voir avec l'annonce !

De : lise.b@mail.defi
À : a.dasilva@mail.defi
Objet : appart

Alors, l'appart ?

ANNONCE
À louer :

11. **Quelle est votre pièce préférée ? Décrivez-la avec un ou deux adjectifs. Qu'aimez-vous faire dans cette pièce ?**

— *Moi, ma pièce préférée, c'est la salle de bains ! Elle est lumineuse parce qu'il y a une fenêtre. J'aime prendre des bains.*

12. **Décrivez ce qu'est pour vous...**

— *Pour moi, une cuisine pratique, c'est une grande cuisine pour ranger...*

a. une cuisine pratique

b. une chambre confortable

c. un jardin calme

d. une salle de bains de rêve

e. un salon spacieux

Les objets et les meubles de la maison

13. **Écoutez et entourez sur la photo les objets que vous entendez.**
35

14. **Et pour vous, quel est l'objet ou le meuble le plus important ? Pourquoi ?**

....

....

....

....

....

....

15. **Vous décidez de vendre deux meubles et deux objets de votre logement sur des sites de vente de particulier à particulier (Alibaba, Wallapop, Leboncoin...). Décrivez-les comme dans l'exemple.**

Coussin et lampe pour une chambre colorée et joyeuse BON PLAN

Prix :	15 euros
Ville :	Toulouse

Description :

À vendre coussin rose, très confortable, et lampe verte. Ils vont bien ensemble !

Les adverbes de quantité

16. **Complétez ces phrases pour décrire votre logement ou l'endroit où vous travaillez.**

a. Il n'y a pas assez de / d' ....
b. Il y a trop de / d' ....
c. .... est trop ....
d. .... sont trop ....

Les couleurs

17. **Répondez à ce questionnaire sur les goûts et les couleurs.**

LES GOÛTS ET LES COULEURS, ÇA NE SE DISCUTE PAS

1 **À quelle couleur associez-vous les mots suivants ?**

- le dimanche
- l'amitié
- le métro
- un téléphone
- un frigo
- les vacances

— *Pour moi, le dimanche, c'est noir ou marron, parce que...*

....

....

....

....

....

....

....

2 **Quelles sont les associations de couleurs qui vont bien ensemble dans un logement ?**

— *Je pense que le blanc va bien avec tout.*
— *Pour moi, le beige et le marron vont bien ensemble. C'est agréable dans un salon.*

....

....

....

....

....

3 **Quelles couleurs vous n'aimez pas dans certaines pièces?**

- une salle de bains
- un salon
- une cuisine

— *Je n'aime pas les salles de bains noires.*

....

....

....

....

....

Il faut / Devoir / Pouvoir + infinitif

18. Qu'est-ce qui est important pour vous dans un logement ? Écrivez-le.

Mes critères pour choisir un logement

— *Toutes les chambres doivent avoir une fenêtre.*
— *L'appartement doit avoir des couleurs claires.*

....

....

....

....

19. Avez-vous des manies ? Écrivez des règles pour les gens qui vivent avec vous.

— *Il ne faut pas mettre le lit sous la fenêtre.*
— *Vous pouvez inviter des amis, mais vous devez tout ranger à la fin de la soirée.*

....

....

....

....

Toute l'unité

20. Comment est votre logement ? Écrivez une description à l'aide des entrées du tableau.

	Mon logement
Superficie en m^2	
Étage	
Ascenseur	
Prix	
Avis positif ou négatif ?	

21. Pour vous, quelle est la taille minimum d'un appartement ? Pourquoi ?

• *Pour moi, un appartement doit avoir au moins deux pièces : un salon et une chambre...*

22. À votre avis, dans quel logement habitent ces personnes (maison, studio...) ? Quelle est la décoration de leur logement (meubles, couleurs...) ?

1

2

3

23. Que pensez-vous de ces pièces ? Laissez trois commentaires sur un blog de décoration.

Ton / Ta ... est ... | C'est... | Il y a / Il n'y a pas de...

COMMENTAIRE :

....

....

....

....

COMMENTAIRE :

....

....

....

....

COMMENTAIRE :

....

....

....

....

PROSODIE - Accentuation de la dernière syllabe du mot

24. Écoutez et répétez en respectant l'accentuation.

36 **1.** une table
2. une table blanche
3. une étagère
4. une étagère rouge
5. un coussin
6. un coussin rond

> **Accentuation de la dernière syllabe**
> En français, on accentue la dernière syllabe d'un groupe de mots (et non de chaque mot).
> Ex. : une chaise / une chaise rouge

25. À deux, écoutez et soulignez la syllabe avec un accent tonique.

37
1. un canapé
2. un canapé rectangulaire
3. une chaise
4. une chaise en bois

PHONÉTIQUE - Les sons [E], [œ] et [o]

26. Écoutez les mots et répétez-les.

38 **1.** un canapé
2. un stylo
3. un immeuble

27. Écoutez les mots. Quel son entendez-vous ?

39

	[E] comme *canapé*	[œ] comme *heure*
1.		
2.		
3.		
4.		

28. Écoutez les mots. Quel son entendez-vous ?

40

	[œ] comme *heure*	[o] comme *tableau*
1.		
2.		
3.		
4.		

29. Écoutez les mots. Quel son entendez-vous ?

41

	[E] comme *canapé*	[œ] comme *heure*	[o] comme *tableau*
1.			
2.			
3.			
4.			

30. Lisez les mots et cochez le son correct. Écoutez pour vérifier.

42

1. une entrée ☐ [E] ☐ [œ] ☐ [o]
2. un meuble ☐ [E] ☐ [œ] ☐ [o]
3. une couleur ☐ [E] ☐ [œ] ☐ [o]
4. un frigo ☐ [E] ☐ [œ] ☐ [o]
5. un aménagement ☐ [E] ☐ [œ] ☐ [o]
6. un bureau ☐ [E] ☐ [œ] ☐ [o]

31. Écoutez et prononcez les énoncés suivants.

43 **[E] et [œ] :**
1. le téléphone
2. le travailleur
3. l'électricité
4. la banlieue

[œ] et [o] :
1. le pinceau
2. le meuble
3. le château
4. la feuille

[E], [œ] et [o] :
1. l'escalier
2. l'eau
3. l'étage
4. le cœur
5. le chapeau

PHONIE-GRAPHIE - Les sons [E], [œ] et [o]

32. Écoutez et reliez le mot au son correspondant. Écrivez ensuite le mot entendu.

44

1. un caf.......... • [E]
2. un voyag..........r
3. un ch..........ffage
4. un bur.......... • [œ]
5. un aut..........r
6. un frig..........
7. un calendri..........
8. en h..........t • [o]

PHONÉTIQUE - Le [ə] muet

33. Écoutez les phrases. Barrez les [ə] qui ne se prononcent pas et soulignez les [ə] qui se prononcent. 45

1. Que penses-tu de la cuisine ?
2. Le bureau est magnifique.
3. Vous ne devez pas mettre le canapé devant la fenêtre.
4. Le logement est petit.
5. Elles veulent habiter ensemble.
6. Ce petit appartement est dans le centre-ville.
7. Prends-le !
8. Les chaises se rangent facilement.
9. Je dois absolument acheter de nouveaux meubles.
10. La maison est grande !

Le [ə] muet
Le son [ə] ne se prononce pas lorsqu'il est situé en fin de mot : la Suisse [la syis]. Ils parlent suisse. [il paʀl syis]

Autoévaluation

Mes compétences à la fin de l'unité 4

Je suis capable de / d'...	J'ai encore des difficultés à...	Je ne suis pas encore capable de / d'...	
			parler d'un logement, des pièces de la maison.
			indiquer un loyer.
			parler de l'espace.
			décrire les meubles et les couleurs.

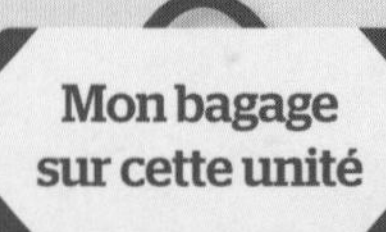

1. Qu'est-ce que vous avez appris sur la culture française et francophone ?

....

2. Qu'est-ce qui vous a le plus intéressé et / ou étonné ?

....

3. Qu'est-ce qui est différent par rapport à votre culture ? Et qu'est-ce qui est similaire ?

....

4. Vous aimeriez en savoir plus sur...

....

Métro boulot dodo

05

L'heure

1. Observez les horloges et écrivez les différentes façons de dire ces heures.

a 

— *Il est une heure moins dix.*
— *Il est douze heures cinquante.*

b 

c 

d 

e 

f 

2. Observez le panneau d'affichage de l'aéroport de Paris-Orly. Écoutez les informations et dites de quel vol on parle. 46

DEPARTS
DEPARTURES

HORAIRE TIME	DESTINATION DESTINATION	VOL FLIGHT	PORTE GATE	OBSERVATIONS REMARKS
12:39	LONDRES	BA 903	E21	A L'HEURE
12:57	ZURICH	AF5723	E27	ANNULE
13:08	DUBLIN	AF5984	E22	ANNULE
13:21	CASABLANCA	AT 608	E41	A L'HEURE
13:37	AMSTERDAM	AF5471	E29	ANNULE
13:48	MADRID	IB3941	E20	A L'HEURE
14:19	BERLIN	AF5021	E28	ANNULE
14:35	NEW YORK	AA 997	E61	ANNULE
14:54	ROME	AF5870	E23	A L'HEURE
15:10	STOCKHOLM	AF5324	E43	ANNULE

a.
b.
c.
d.

3. Écoutez Aurélie et Mathieu qui parlent de leurs horaires. Complétez le tableau. 47

	Aurélie	Mathieu
a. Il / Elle se lève à...		
b. Il / Elle commence à travailler à...		
c. Il / Elle déjeune à...		
d. Il / Elle rentre chez lui / elle à...		
e. Il / Elle dîne à...		
f. Il / Elle se couche à...		

4. Que faites-vous d'habitude aux heures de l'activité 1, le matin ou le soir, la semaine ou le week-end ?

— *À 12 h 50, pendant la semaine, je déjeune avec mes collègues. Le week-end, je fais du sport ou je me promène.*

Les verbes pronominaux

5. Regardez les images et décrivez les actions de Richard.

Il se lève à 6h. ....

....

6. Complétez la journée type de ce personnage mystère à l'aide des étiquettes. Qui est-ce à votre avis ?

se lever | faire la cuisine | sortir | coiffer | prendre (2) | se doucher | rentrer | se coucher | s'habiller

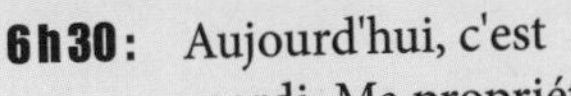

DEVINETTE : LA VIE D'UN/UNE ?

6h30 : Aujourd'hui, c'est mardi. Ma propriétaire .... tôt. On va faire du sport.
6h40 : On .... le petit déjeuner.
6h50 : Elle .... en tenue de sport. Elle m'attache bien. J'aime bien courir avec elle !
6h55 : On .... de la maison.
7h45 : On .... à la maison. On .... Là, elle prend soin de moi. J'adore être sous la douche.
7h55 : Ensuite, elle me .... longtemps. J'ai les poils très longs et elle aime quand je suis beau.
8h15 : On .... le bus. Je déteste ça : les gens ne font pas attention à moi et m'écrasent parfois.
8h30 : Arrivée au travail, elle m'attache : je ne dois pas l'embêter.
18h00 : Le soir, elle finit son travail et me libère ! Ouf, j'en avais marre.
19h00 : Elle .... : ce soir on a des invités !
20h00 : Les invités arrivent. Ils me touchent parfois, j'ai horreur de ça, mais je ne dis rien, je suis poli.
23h00 : Les invités partent.
Minuit : Nous allons .... Nous sommes fatigués.

7. À l'aide de l'activité précédente, décrivez la journée d'un animal de compagnie ou d'un objet. Faites deviner votre personnage mystère à un/e camarade.

....

Les verbes *sortir*, *prendre* et *dormir*

8. Écrivez des phrases sur vous à l'aide des énoncés.

— *Le week-end, je dors peu, mais en semaine je dors bien.*

a. Dormir peu : ....

b. Partir en vacances ou en week-end : ....

c. Prendre un bain : ....

d. Sortir le soir / pendant la semaine : ....

e. Prendre le petit déjeuner : ....

f. Dormir huit heures par nuit ou plus : ....

g. Faire la fête : ....

h. Prendre le bus / le métro / la voiture tous les jours : ....

i. Faire la sieste : ....

j. Sortir de la routine : ....

Les verbes *sortir*, *prendre* et *dormir*

9. En groupes, interrogez vos camarades à l'aide de vos réponses à l'activité précédente. Qui a les mêmes habitudes que vous?

- *Tu prends des bains, toi ? Moi, je n'aime pas ça.*
- *Oui, je prends des bains de temps en temps, surtout le week-end.*
- *Moi, je préfère prendre une douche.*

10. Avec quels verbes apparaissent le plus souvent ces mots? Complétez le tableau.

bien | le bus | une douche | toute la nuit | du travail | des notes | avec des amis | le métro | un café | de la maison | beaucoup | en semaine | le petit déjeuner | son temps | un moment pour soi

Sortir	Prendre	Dormir

Les adverbes de fréquence

11. Quelle est votre routine? Complétez les phrases et accordez *tout* si nécessaire.

a. Tou........ les matins, je ....

b. Tou........ la semaine, je ....

c. Tou........ les deux-trois jours, je ....

d. Tou........ les deux-trois semaines, je ....

e. Tou........ les mois, je ....

f. Tou........ la journée, je ....

g. Tou........ les ans, je ....

12. Dans votre langue ou les langues que vous connaissez, comment traduisez-vous *tout*/*tous*/*toute*/*toutes* ?

....

13. Réécrivez les phrases comme dans l'exemple.

a. Tous les lundis, je vais courir.
Le lundi, je vais courir.

b. Tous les samedis soir, je sors avec mes amis.

c. Tous les matins, je pars de chez moi à 8h.

d. Tous les week-ends, je jardine.

e. Tous les soirs, je lis.

14. Répondez à l'aide des étiquettes. À quelle fréquence...

rarement | toujours | jamais | parfois | souvent | tous/toutes les... | une/deux fois par...

a. allez-vous chez le coiffeur ?

b. buvez-vous du café ?

c. vous couchez-vous après minuit ?

d. vous lavez-vous les dents ?

e. allez-vous au supermarché ?

f. faites-vous du sport ?

g. prenez-vous le métro ?

h. travaillez-vous le week-end ?

15. Observez l'agenda de cette semaine de Jérôme et répondez aux questions.

	Lundi	Mardi	Mercredi	Jeudi	Vendredi	Samedi	Dimanche
8h							
9h						*Tennis*	*Tennis*
10h							
11h							
12h		*12h30 Yoga*		*12h30 Yoga*			
13h							
14h							
15h							
16h					*Léa théâtre*		
17h	*Rachid foot*						
18h	*Tennis*	*Tennis*	*Tennis*	*Tennis*	*Tennis*		

a. À quelle fréquence fait-il du tennis?

....

b. À quelle fréquence fait-il du yoga?

....

c. À quelle fréquence sa fille Léa fait-elle du théâtre?

....

d. À quelle fréquence son fils Rachid joue-t-il au football?

....

Situer dans le temps et exprimer la durée

16. Dans votre ville, connaissez-vous les jours et les heures d'ouverture et de fermeture des lieux suivants?

— *Du lundi au vendredi, de 8h à 15h.*

les banques: ....

les restaurants: ....

les supermarchés: ....

la Poste: ....

17. Classez les mots et les expressions dans le tableau.

du 15 au 30 / du lundi au vendredi / mercredi / à 15h / de juillet à septembre / en mars / du matin au soir / lundi / l'après-midi / à midi / au printemps / en été / le 15 juillet / en 2018 / de 2015 à 2018

Situer dans le temps	Exprimer la durée

Les jours de la semaine, les mois et les saisons

18. Quel jour de la semaine associez-vous à chaque tasse?

a b c d e f

a. ....
b. ....
c. ....
d. ....
e. ....
f. ....

19. À quelle saison correspondent les dates suivantes en France? Et dans votre pays?

— *En France, c'est l'été. En Argentine, c'est l'hiver.*

a. Le 21 juin: ....

b. Le 8 octobre: ....

c. Le 15 août: ....

d. Le 26 février: ....

e. Le 31 mars: ....

f. Le 30 janvier: ....

g. Le 7 avril: ....

Les jours de la semaine, les mois et les saisons

20. Répondez à ce questionnaire, puis interrogez un/e camarade.

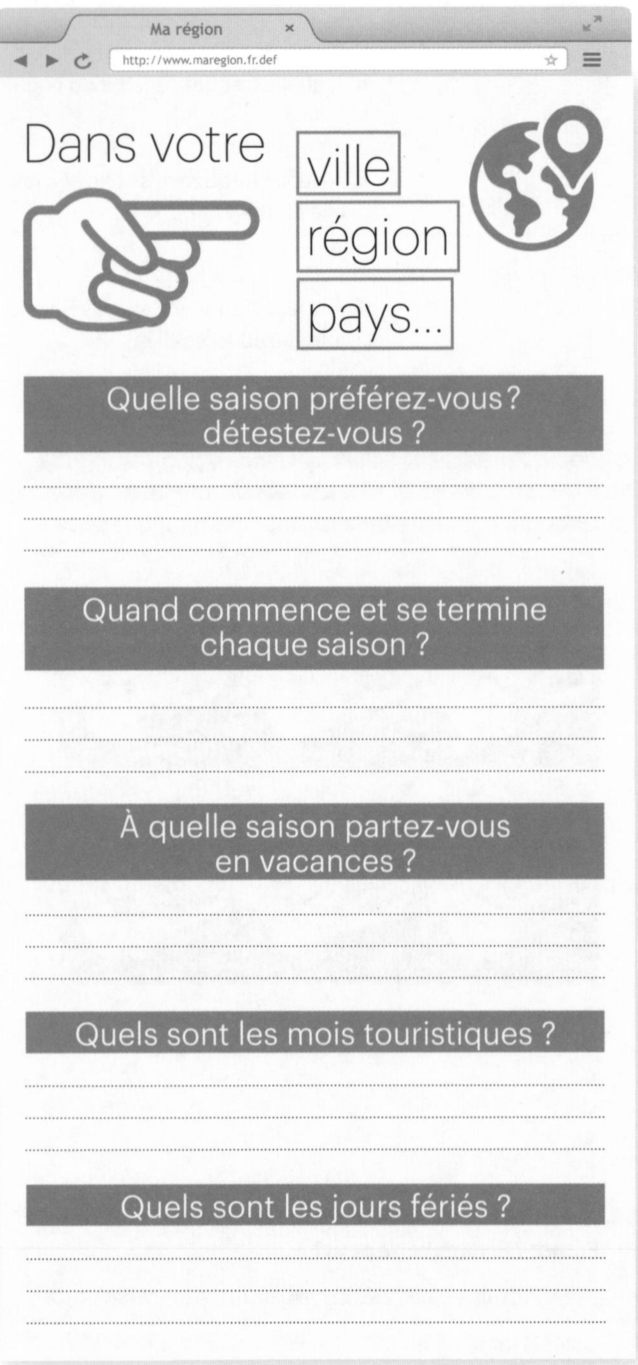

21. Ces personnes parlent de leurs vacances. Complétez les phrases avec *le, en, au*.

a. J'aime partir en vacances .... automne parce qu'il y a moins de monde.
b. Nous partons en Italie .... 31 juillet.
c. .... mois de mars, il va en Thaïlande.
d. .... hiver, elle va à la montagne, elle adore le ski !
e. Elle ne peut pas partir en vacances .... printemps, parce qu'elle a trop de travail.

Les vacances et les jours fériés

22. Lisez le document, puis trouvez la fête correspondant à chaque phrase.

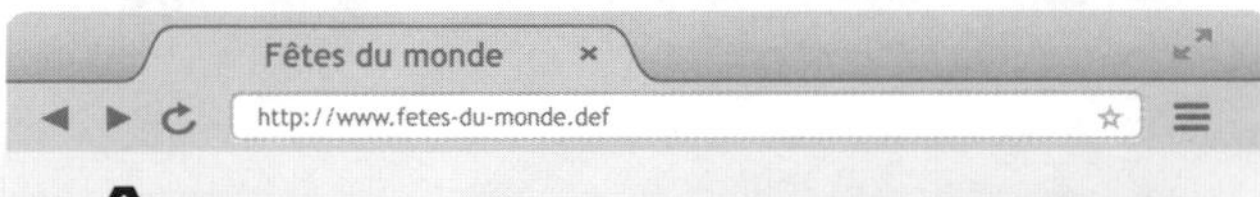

FÊTES DU MONDE

L'AÏD EL-FITR
C'est la fête la plus populaire de l'islam, à la fin du mois de Ramadan. On partage un grand repas en famille, on offre des cadeaux aux enfants et on aide les plus pauvres.

LA SAINT-PATRICK
Le 17 mars, c'est la Saint-Patrick, la fête du saint patron de l'Irlande. C'est un jour férié dans tout le pays. On s'amuse, on boit, on danse et on joue de la musique dans les rues et les pubs. Le jour de la Saint-Patrick, on s'habille en vert, c'est la tradition !

LE CARNAVAL DE BARRANQUILLA
C'est le troisième plus grand carnaval du monde. Il a lieu en février dans la ville de Barranquilla, en Colombie. Pendant quatre jours, on organise des défilés colorés, avec des musiciens et des danseurs.

SONGKRAN
C'est un festival qui a lieu du 13 au 15 avril pour fêter le Nouvel An bouddhique en Thaïlande. Il dure trois jours. Aujourd'hui, ce festival est très connu pour les batailles d'eau dans les rues.

a. Elles durent plusieurs jours : ....
b. Elle a lieu un jour férié : ....
c. Elle a lieu au printemps : ....
d. Elle a lieu en hiver : ....
e. On s'habille différemment : ....
f. On écoute de la musique : ....

23. Pensez à une fête, un festival ou un jour férié de votre pays. Décrivez ce que vous faites durant cette journée.

— *Au Mexique, on célèbre la fête des morts le 1er et le 2 novembre. Je me lève tôt et je prépare les repas préférés des morts avec ma mère et mon frère...*

PROSODIE - L'enchaînement obligatoire consonantique

24. À deux, écoutez et marquez avec / les syllabes des groupes rythmiques que vous entendez, comme dans l'exemple. Puis répétez-les. 48

1. I/l est / qua/tre heures.
2. Il est tard, dit maman.
3. Le soir, il faut manger.
4. On déjeune ou on dîne.

PROSODIE - L'élision

25. Lisez l'encadré sur l'élision. Puis écoutez les énoncés et complétez le tableau. 49

L'élision
L'élision consiste à remplacer par une apostrophe la voyelle finale d'un mot, lorsque le mot suivant commence par une voyelle *a, e, i, o, u* ou par un *h* muet.
Ex. : *l'infirmier, l'école, l'hôtel*

	Élision	Pas d'élision
1.	x	
2.		
3.		
4.		
5.		
6.		

PHONÉTIQUE - Le [p], [b], [v]

26. Écoutez. Quels sons entendez-vous ? Complétez le tableau. 50

	[p] comme *prendre*	[b] comme *boulot*
1.		
2.		
3.		
4.		

27. Écoutez les phrases. Dans quel ordre entendez-vous ces sons ? Complétez le tableau puis répétez. 51

	[b] comme *boulot*	[v] comme *vendre*
1.	1	2
2.		
3.		
4.		
5.		
6.		

Le [*b*] et le [*v*]
[v] : les dents supérieures se positionnent sur les lèvres inférieures, les cordes vocales vibrent.
[b] : la bouche est presque fermée, les cordes vocales vibrent. Avec une main devant la bouche, l'air sort.

PHONÉTIQUE - Les consonnes finales *t, d, s, r*

28. À deux, soulignez les consonnes finales. Puis, écoutez et complétez l'encadré. 52

1. Elle se lève tôt et elle rentre tard le soir.
2. Elle travaille vingt heures par semaine.
3. C'est une journée très importante.
4. Nos heures supplémentaires sont payées.
5. Il prend toujours son petit déjeuner avant de partir.
6. En Suisse, on prend sa retraite à 65 ans.
7. C'est un grand acteur, j'adore ses films !

- Si le mot est prononcé seul ou s'il est devant une consonne, les consonnes finales *t, d, s* :
  ☐ se prononcent.
  ☐ ne se prononcent pas.
- Avec les consonnes finales *s* et *d*, lorsque le mot suivant commence par une voyelle, on fait la liaison :

- La lettre *s* se prononce : ☐ [s] ou ☐ [z]
- Le lettre *d* se prononce : ☐ [t] ou ☐ [d]

Le *r* ne se prononce pas pour les infinitifs en *-er* (*manger, danser*). Par contre, il se prononce pour les autres infinitifs (*dormir, finir, boire, prendre*).

29. Soulignez les consonnes finales qui se prononcent et barrez les consonnes finales qui ne se prononcent pas. Puis écoutez pour vérifier. 53

1. Il est arrivé à huit heures.
2. Il est midi au Québec.
3. Il va souvent au travail en métro.
4. Il est grand temps d'arriver à l'heure.
5. Je rentre tard à la maison.
6. Tu connais les horaires de bureau des Québécois ?
7. Les repas les plus importants de la journée sont le petit déjeuner et le déjeuner.
8. Il change ses horaires pour finir tôt et manger au bureau.

30. Répétez les phrases de l'activité précédente en respectant les groupes rythmiques. Frappez dans vos mains pour vous aider.

PHONÉTIQUE - La prononciation du [R]

Le son [R]
Échauffez-vous et positionnez correctement votre langue. La pointe de la langue touche les dents inférieures. Le [R] se prononce au même endroit que le son [K]. Entraînez-vous tout d'abord à prononcer le son [K]. Puis, essayez de prononcer le son [R].

31. Écoutez et entraînez-vous à prononcer le son [R].

54
1. À quelle heure tu rentres chez toi le soir ?
2. Les horaires que tu as réalisés sont remarquables !
3. Tu te réveilles à quatre heures ?
4. Je dois rendre mon premier devoir de français le trois mars, le deuxième est pour septembre.

32. Écoutez et jouez ces dialogues.

55
- Le matin, tu te rends directement au travail ?
- Non, je fais d'abord du sport pendant 40 minutes.

- À quelle heure tu te réveilles le matin ?
- Très tard. Pas avant 9 heures.

- Tu prends souvent des jours de congé ?
- Parfois, mais je prends un mois en été.

Autoévaluation

Mes compétences à la fin de l'unité 5

Je suis capable de / d'...	J'ai encore des difficultés à...	Je ne suis pas encore capable de / d'...	
			parler des rythmes de vie et des habitudes.
			informer sur l'heure, le moment et la fréquence.
			parler des horaires, des jours fériés et des vacances.

Mon bagage sur cette unité

1. **Qu'est-ce que vous avez appris sur la culture française et francophone ?**

....
....
....

2. **Qu'est-ce qui vous a le plus intéressé et / ou étonné ?**

....
....
....

3. **Qu'est-ce qui est différent par rapport à votre culture ? Et qu'est-ce qui est similaire ?**

....
....
....

4. **Vous aimeriez en savoir plus sur...**

....
....
....

Échappées belles

Les loisirs

1. Observez les photos. Reconnaissez-vous ces activités ?

a — *écouter de la musique*

b — ....

c — ....

d — ....

e — ....

f — ....

g — ....

h — ....

i — ....

2. Complétez le tableau avec les loisirs de l'activité précédente. Comparez vos goûts avec un/e camarade.

++ J'aime beaucoup	+ J'aime	+/- Je n'aime pas trop	-- Je n'aime pas du tout

• *J'aime beaucoup écouter de la musique, et toi ?*
○ *Oui, moi aussi, mais je préfère lire.*

3. Retrouvez le mot qui correspond à chaque phrase.

a. Temps qu'on a quand on ne travaille pas : le temps **l**.......... .
b. Lieu pour aller manger : le **r**.......... .
c. Marcher longtemps à la montagne ou sur le littoral : faire de la **r**.......... .
d. Salle dans laquelle on regarde des films : la salle de **c**.......... .
e. La salsa, le twist, la valse et le tango sont des **d**.......... .
f. Lieu où on admire des peintures et des sculptures : le **m**.......... .
g. Lieu de sortie nocturne pour faire la fête et danser : la **b**.......... de **n**.......... .
h. La guitare et le piano sont des **i**.......... de **m**.......... .
i. Marcher pour le plaisir, dans la rue ou dans la nature : **s**.... **p**.......... .

4. En petits groupes, lisez la règle du jeu et jouez. Vous pouvez aussi jouer seul/e.

Le petit bac

Règle du jeu : un joueur choisit une lettre au hasard. Le plus vite possible, tous les joueurs remplissent les catégories du tableau avec des mots qui commencent par cette lettre.

Lorsqu'un joueur complète une ligne, le jeu s'arrête.

Les joueurs gagnent 1 point par bonne réponse.

Lettre	Sport	Musique	Sortie	Autre	Points
C	*course à pied*	*classique*	*cinéma*	*cartes*	*4 points*

5. Complétez les listes avec des activités.

a. Sortir le soir : aller en boîte de nuit, dîner chez des amis, ...
b. Les activités d'hiver : faire du patin à glace, jouer au hockey, ...
c. Les activités d'été : aller à la plage, faire du VTT, ...

6. Choisissez deux activités dans la liste de l'activité précédente et écrivez à quelle fréquence vous les faites.

— *Quand je sors le soir, je ne vais jamais en boîte de nuit. Je n'aime pas beaucoup danser, mais j'aime la musique et je vais voir des concerts régulièrement.*

....

7. Écoutez Pierre parler de ses activités pendant son temps libre, puis complétez le tableau. 56

Activités	Fréquence
aller au musée	

8. Réécoutez Pierre, puis répondez aux questions de l'enquête avec un/e camarade. 56

• *Vous aimez les sorties culturelles ?*
○ *Oui, je vais voir des expositions de temps en temps.*

a. Vous aimez les sorties culturelles ?
b. Vous sortez beaucoup le soir ?
c. Vous faites du sport ?
d. Vous regardez souvent la télévision ?

Les articles contractés avec *jouer*, *faire* et *aller*

9. Conjuguez avec le verbe *faire* ou *aller* au présent, puis complétez les phrases avec les étiquettes.

peinture | sport | plage | cinéma | surf

a. Nous .... au .... ce soir, le film est à 20 h.
b. Je .... à la .... tous les week-ends et je .... du ....
c. Elles aiment l'art. Elles .... de la .... et elles .... souvent voir des expositions.
d. Je .... du .... deux fois par semaine : le lundi, je cours et le mercredi, je joue au foot.

10. Complétez avec l'article contracté qui convient.

Et vous, quelles sont vos habitudes le week-end ?

Léon
Avec ma femme, on va .... restaurant le samedi ou le dimanche midi. Tous les samedis soir, on joue .... cartes ou .... échecs avec nos amis.

Clément
Je vais .... marché tous les samedis. Le dimanche, c'est la journée du sport : mon fils fait .... natation le matin et l'après-midi, je vais voir ma fille jouer .... tennis.

Maelle
Le week-end, je sors de la ville et je vais .... montagne. Je suis très sportive, alors je fais .... escalade ou .... randonnée quand j'ai le temps. J'essaie de faire .... sport tous les week-ends.

11. Répondez à cette enquête.

— *En semaine, je cuisine, je regarde la télé et je lis. Le lundi et le jeudi, je fais du foot.*

Les loisirs et vous

Citez trois activités de loisir que vous faites...

• en semaine : ....

• le week-end : ....

• quand vous êtes en vacances : ....

12. Quelles activités peut-on faire dans votre ville ? Cochez les activités de la fiche, puis échangez à deux.

• *À Lisbonne, on peut aller à la plage et faire du surf.*
○ *Dans ma ville, il n'y a pas de plage, mais on peut faire de l'escalade !*

☐ aller au marché	☐ faire de l'escalade
☐ aller au théâtre	☐ aller à la plage
☐ jouer au rugby	☐ jouer au tennis
☐ faire du shopping	☐ aller à l'opéra
☐ aller au zoo	☐ faire de la randonnée
☐ faire du ski	☐ faire du surf
☐ aller au cinéma	☐ autre :

13. Observez ce nuage de mots. Quels loisirs s'utilisent avec le verbe *faire*, le verbe *jouer* ou les deux ? Complétez le tableau.

Faire...	Jouer...	Faire ou jouer
de la natation	*du piano*	*faire du football ou jouer au football*

Internet et les réseaux sociaux

14. À l'aide des indices, remettez les lettres des mots dans le bon ordre.

a. Il peut être fixe ou portable. C'est l'...
A-R-I-D-R-E-T-U-N-O

....

b. C'est un téléphone portable qui a une connexion Internet. C'est le...
P-A-S-N-E-H-R-O-T-M

....

c. Elle est plus grande qu'un smartphone. C'est la...
B-L-T-A-T-E-T-E

....

d. Snapchat, Twitter et Facebook sont des...
S-É-R-A-U-E-X X-O-C-U-S-A-I

Le pronom *on*

15. Complétez les phrases avec des informations sur les destinations présentées dans le livre de l'élève, pages 96-97.

a. En Aveyron, il y a ....
On peut ....

b. Sur la Côte d'Azur, il y a ....
On peut ....

c. À La Réunion, il y a ....
On peut ....

d. Au Bénin, il y a ....
On peut ....

16. Indiquez pour chaque phrase la valeur du pronom *on*.

a. Ce week-end, **on** va faire du shopping.
b. **On** trouve du bon fromage dans l'Aveyron.
c. Cet été, **on** part en vacances à La Réunion.
d. Maintenant, **on** fait beaucoup d'achats sur Internet.

	On* = *nous	***On* = les gens en général**
a.	X	
b.		
c.		
d.		

Pour et *parce que*

17. Complétez les phrases avec *pour* ou *parce que*.

a. Il utilise beaucoup sa tablette .... elle est facile à transporter.
b. Elle utilise des applications .... acheter et vendre des objets.
c. Je me connecte .... écouter de la musique en ligne.
d. Ils utilisent les réseaux sociaux .... communiquer avec leurs amis.
e. Elles n'ont pas de télévision .... elles préfèrent regarder des films et des séries sur Internet.
f. On va sur Internet .... lire et s'informer.
g. Elle prépare souvent ses vacances sur Internet .... c'est moins cher.
h. Il regarde des vidéos sur YouTube .... on trouve tout ! En ce moment, c'est .... apprendre à cuisiner et à bricoler.

18. Utilisez-vous les outils ci-dessous ? Pour quoi faire ?

— *J'utilise un ordinateur au bureau pour travailler, écrire, envoyer des mails.*

a. un ordinateur :
....
....

b. un smartphone :
....
....

c. Internet :
....
....

d. les réseaux sociaux :
....
....

e. les messageries instantanées (WhatsApp...) :
....
....

f. YouTube :
....
....

L'accord de l'adjectif qualificatif

19. Complétez le tableau avec plusieurs éléments par colonne.

Les traits de caractère que j'aime chez moi	*- Je suis généreuse.*
Les traits de caractère que je n'aime pas chez moi	
J'aime quand les autres sont...	
Je n'aime pas quand les autres sont...	

20. Choisissez trois de ces personnes et décrivez leur caractère.

- votre oncle ou votre tante
- votre mère ou votre père
- un/e collègue
- votre chef
- votre meilleur/e ami/e
- votre enfant

— *Mon oncle est timide et très gentil.*
....
....
....
....
....
....

21. **Complétez les tableaux comme dans l'exemple.**

Verbe	Adjectif masculin singulier	Adjectif féminin singulier	Adjectif masculin pluriel	Adjectif féminin pluriel
bavarder	Il est *bavard*	Elle est *bavarde*	Ils sont *bavards*	Elles sont *bavardes*
rêver	Il est	Elle est	Ils sont	Elles sont ....
faire du sport	Il est	Elle est	Ils sont	Elles sont ....
faire la fête	Il est	Elle est	Ils sont	Elles sont ....

Nom	Adjectif masculin singulier	Adjectif féminin singulier	Adjectif masculin pluriel	Adjectif féminin pluriel
la gourmandise	Il est	Elle est	Ils sont	Elles sont ....
la sympathie	Il est	Elle est	Ils sont	Elles sont ....
la gentillesse	Il est	Elle est	Ils sont	Elles sont ....
l'intelligence	Il est	Elle est	Ils sont	Elles sont ....

Les traits de caractère

22. **Complétez la grille de mots croisés avec les adjectifs qui conviennent.**

- **a.** Mes frères sont des ...., ils sortent tous les week-ends.
- **b.** Il ne fait jamais rien comme les autres, il est très ....
- **c.** Ils donnent beaucoup aux autres et ils les aident, ils sont très ....
- **d.** Il est très .... ! Il parle... il parle trop !
- **e.** Elle n'aime pas travailler et faire du sport. Elle aime rester toute la journée sur son canapé, elle est vraiment ....
- **f.** Elle aime aller au restaurant et cuisiner aussi. Ce qu'elle préfère, c'est la gastronomie italienne et la pâtisserie. Elle est ....
- **g.** Il fait toujours rire ses amis avec des blagues et des anecdotes amusantes, il est ....
- **h.** Elles font de la natation trois fois par semaine et le week-end, elles font du football. Elles sont très ....

Les profils de vacanciers

23. **Écoutez ces personnes parler de leurs vacances et retrouvez leur profil.** 57

amoureux(euse) de la nature | fêtard/e | sportif(ve)

....

24. **À votre tour, décrivez vos loisirs quand vous êtes en vacances. Quel est votre profil ?**

— *Je suis un amoureux de la culture. Quand je suis en vacances, j'aime visiter des musées...*

Proposer, accepter et refuser

25. Choisissez une activité, puis proposez à un/e camarade de vous accompagner. Il / Elle accepte ou refuse et vous propose une autre sortie.

- *Ça te dit de faire de la photo ?*
- *Non, je préfère aller à un concert.*
- *D'accord ! Tu viens au Rock festival samedi soir ?*
- *Oui, j'adore le rock !*

LA ROUTE GOURMANDE

dimanche 21 mai

pour découvrir la gastronomie locale

Visite du grand marché, dégustation de spécialités culinaires, découverte des restaurants et des cafés de la ville.

26. Un ami vous propose les activités suivantes. Répondez-lui pour accepter ou refuser ses propositions.

— *Désolé, mais je n'aime pas beaucoup la montagne, je préfère la mer.*

a. Partir en week-end à la montagne faire de l'escalade :

....

b. Faire un long week-end de camping :

....

c. Prendre des cours de langue des signes :

....

d. Aller à un festival de musique électro :

....

e. Faire une soirée karaoké :

....

f. Aller à la plage pour jouer au beach-volley :

....

g. Aller au casino :

....

h. Faire de l'escalade :

....

i. Aller à l'opéra :

....

j. Faire le tour de votre région à vélo :

....

27. Écrivez cinq propositions à partir de l'activité précédente.

— *Ça te dit d'aller à la montagne pour faire de l'escalade ?*

....

....

....

....

....

PROSODIE - Liaisons obligatoires

28. **Écoutez. Dans quelle colonne se trouvent les énoncés avec des liaisons ?**
58

Ses loisirs. C'est très populaire. Nous sommes partis. Ils sont mécontents. Tout me va !	Ses envies de voyage. C'est très à la mode. Nous avons réservé. Tout est organisé. C'est au premier étage.

PROSODIE - Liaisons obligatoires et interdites

Liaisons interdites
On ne doit pas faire la liaison dans les cas suivants :
- **nom** + **adjectif** : *des amis originaux.*
- **sujet** + **verbe** : *mon copain arrive demain.*
- après : ***et***, ***selon*** : *Il a des cousins et il a des frères.*
- Après un pronom interrogatif **quand**, **combien**, **comment** :
  Ex. : *Comment il va au travail ?*

Exception : *Comment allez-vous ? Quand est-ce que ?*
- Avant : un *h* aspiré, les nombres *huit*, *onze*, *cent*.
- Dans une interrogation avec inversion sujet-verbe.
  Ex. : *Quand as-tu terminé ?*

29. **À deux, écoutez et cochez les énoncés avec une liaison.**
59

1. Mes amis font du surf. ☐
2. Les Allemands sont accueillants. ☐
3. Mes amis sont optimistes. ☐
4. Et après, on visite quel monument ? ☐
5. On aime jouer aux cartes. ☐
6. Quand est-ce que tu prends du bon temps ? ☐
7. Comment est-ce que tu vas au cours de piano ? ☐
8. Combien a-t-il de frères et sœurs ? ☐
9. On boit un verre avec des amis. ☐
10. Vous allez à Marrakech ? ☐
11. Mon copain aime le football. ☐
12. Tu pars dans onze mois ? ☐
13. Je pars en vacances dans huit jours. ☐
14. Selon elle, il faut faire du sport régulièrement. ☐

30. **Écoutez et complétez le tableau. À deux, vérifiez vos réponses et expliquez pourquoi il y a ou non une liaison.**
60

Liaison ?	Oui	Non	Explication
1. C'est mon émission préférée.	x		mon + voyelle
2. Partez-vous en vacances avec des amis ?			
3. La maison est calme.			
4. Et aujourd'hui, tu fais quoi ?			
5. Quand est-ce que tu viens ?			
6. Il a un copain original.			

31. **Écoutez et jouez ces dialogues. Respectez les liaisons interdites et obligatoires.**
61

1. • Comment est-ce que tu vas au travail ?
   ○ Je prends le train et ensuite le métro.
2. • Tu fais souvent du jogging ?
   ○ Seulement de temps en temps.
3. • Combien de jours de vacances vous avez ensemble ?
   ○ Une semaine. Nous partons en Inde !

PHONÉTIQUE - Les sons [z] et [s]

32. **Écoutez les mots. Quel son entendez-vous ? Complétez le tableau.**
62

	[z] comme *onze*	[s] comme *salut*
1.		x
2.		
3.		
4.		
5.		
6.		
7.		
8.		

33. **Écoutez les mots. Dans quel ordre entendez-vous les sons [s] et [z] dans ces mots ? Complétez le tableau, puis répétez-les.**
63

	[z] comme *onze*	[s] comme *salut*
1.	2	1
2.		
3.		
4.		

PHONIE GRAPHIE - Le [z] et le [s]

34. Écoutez les mots et complétez le tableau. Puis, complétez l'encadré.
64

	S = [z]	S = [s]	Z = [z]
1. insister		X	
2. casino			
3. sport			
4. paresseux			
5. visiter			
6. soirée			
7. séjour			
8. escalade			
9. bizarre			
10. s'intéresser			
11. costume			
12. douze			

- La lettre *z* fait le son [z].
  Ex.: *un **z**èbre*
- La lettre *s* entre deux .... fait le son [z].
  Ex.: *un mu**s**ée*
- La lettre *s* située en .... de mot fait le son [s].
  Ex.: ***s**ortir*

Autoévaluation

Mes compétences à la fin de l'unité 6

Je suis capable de / d'...	J'ai encore des difficultés à...	Je ne suis pas encore capable de / d'...	
			parler des loisirs.
			faire, accepter ou refuser une proposition.
			décrire les traits de caractère.

Mon bagage sur cette unité

1. Qu'est-ce que vous avez appris sur la culture française et francophone ?

....

....

....

2. Qu'est-ce qui vous a le plus intéressé et / ou étonné ?

....

....

....

3. Qu'est-ce qui est différent par rapport à votre culture ? Et qu'est-ce qui est similaire ?

....

....

....

4. Vous aimeriez en savoir plus sur...

....

....

....

À deux pas d'ici

Le futur proche

1. Imaginez ce que ces personnes vont faire.

— *Ils vont aller à la plage...*

a. Un couple part en vacances dans un pays tropical.

b. Un groupe d'amis va à Paris pour le week-end.

c. Une famille va dans un centre commercial le samedi.

d. Une mère va amener ces enfants au parc.

e. Un étudiant va visiter le musée du Louvre.

f. Un groupe d'amis va aller à la montagne ce week-end.

g. Un groupe d'étrangers va sortir le soir dans ta ville.

2. Qu'allez-vous faire la semaine prochaine ? Complétez l'emploi du temps avec vos activités, puis décrivez-le en vous enregistrant. Envoyez votre enregistrement à un/e camarade. Il / Elle l'écoute et vous pose des questions.

- *Avec qui tu vas faire du vélo ?*
- *Avec ma sœur.*
- *Et vous allez faire beaucoup de kilomètres ?*
- *On va faire 10 kilomètres.*

3. Observez ces publicités et décrivez ce que vont faire ces personnes ce week-end.

— *Elle va faire une randonnée en roller à Lyon. Elle va partir de la place Bellecour.*

a. Émilie :

b. Kate et ses amies :

c. Un couple avec ses enfants :

Les connecteurs temporels

4. Retrouvez les noms des monuments de Rennes correspondant aux descriptions, puis complétez la présentation de la ville à l'aide des étiquettes.

Noms des monuments :
la cathédrale Saint-Pierre • la porte mordelaise • le parc du Thabor • l'hôtel de ville • l'opéra • la place du Champ-Jacquet • le musée des Beaux-Arts

porte | parc | place | opéra | tour | musée | bâtiments | cathédrale

À VOIR À RENNES

1 *La porte mordelaise*
C'est l'ancien accès principal de la ville. Cette *porte* fait partie des fortifications de la ville.

2 ....
Bâtiment réligieux construit entre le XVIe et le XIXe siècle. Louis XV a fait des travaux dans cette ....

3 ....
Cette .... se situe dans le centre-ville historique. Au milieu se trouve une statue d'un maire de Rennes.

4 ....
Construit en 1730 pour remplacer l'ancienne mairie détruite par un incendie, il est constitué de deux .... avec au milieu une ...., la tour de l'Horloge.

5 ....
La salle d'.................. possède 640 places. Elle est construite selon un modèle italien. On y voit surtout des spectacles d'art lyrique.

6 ....
Ce .... est situé près du centre-ville. Il est particulier, car il y a un jardin à la française et un jardin à l'anglaise ainsi qu'un jardin botanique.

7 ....
Ce .... présente une grande variété de peintures, du XIVe au XXe siècle. Beaucoup d'œuvres viennent directement de la Révolution.

5. Que proposez-vous de faire dans votre région pour un séjour d'une semaine ? Répondez aux questions.

a. Quand y aller ?

....

b. Où aller ? (villes, villages, monuments, quartiers, paysages...)

....

6. À partir des idées de l'activité précédente, proposez un itinéraire à l'aide des étiquettes.

d'abord | après | ensuite | puis | enfin

....

Le pronom *y*

7. Lisez ces phrases et écrivez des endroits de votre ville.

— *À la boulangerie.*

a. J'y vais tous les jours :

b. J'y vais souvent :

c. Je n'y vais jamais :

d. On y mange très bien :

e. On peut y acheter des vêtements pas chers :

f. On peut y voir des films en version originale :

g. On peut s'y promener :

8. Répondez aux questions en utilisant le pronom *y*.

a. Il va comment **à son travail** ?

b. Elle pense souvent **à ses prochaines vacances** ?

c. Ils vont quand **à Marseille** ?

d. Elle est déjà **à Abidjan** ?

S'orienter

9. Écoutez et tracez le chemin indiqué sur le plan. 65

10. Complétez cet échange WhatsApp avec les indications du plan.

tourner (2) | tout droit (2) | à gauche | à droite | traverser | longer

Youssouf
Coucou Su ! Dis, tu peux me rappeler comment venir chez toi depuis le cours de français ? 14:22

Su
C'est simple, tu vas .... jusqu'au rond-point des Dames, puis tu .... à .... sur le boulevard de la Jacquière. Au rond-point suivant, tu .... à .... et c'est là, sur ta gauche.

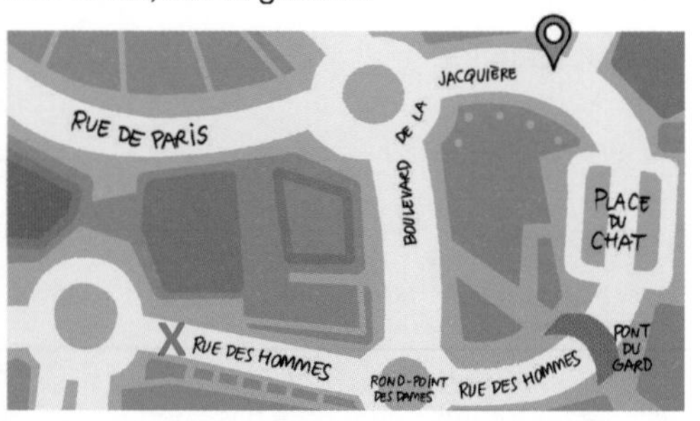

14:28

Youssouf
Je voudrais passer par le pont. 14:28

Su
Alors tu vas .... au rond-point des Dames, tu passes le pont, tu .... la place du Chat, tu .... le boulevard de la Jacquière et c'est sur ta droite. 14:30

Youssouf
C'est d'accord ! À tout de suite ! 14:31

11. Choisissez un lieu de votre ville que vous aimez. Écrivez un mail à un/e camarade de la classe pour lui indiquer le trajet pour aller de son domicile à ce lieu.

....

Les moyens de transport

12. Pensez à deux lieux touristiques de votre ville et proposez des itinéraires d'un endroit à l'autre. Vous pouvez utiliser plusieurs moyens de transport.

Mes lieux : .... et ....

a. le chemin le plus court : ....

b. le chemin le plus rapide : ....

c. le chemin le plus simple : ....

d. le chemin le plus économique : ....

13. Vous avez une minute pour classer les moyens de transport suivants selon les critères ci-dessous. Échangez en groupes.

a. Du plus court au plus long (en nombre de lettres) :

....

b. Du plus lent au plus rapide :

....

c. Du plus économique au plus cher :

....

d. Du plus écologique au plus polluant :

....

e. De celui que vous utilisez le plus souvent à celui que vous utilisez le moins souvent :

....

14. Quels moyens de transport recommandez-vous dans votre ville ? Y a-t-il des horaires ou des zones à éviter ? Écrivez un commentaire sur le blog.

Jaak
À Copenhague, le vélo est un bon moyen de transport. C'est facile, rapide et sportif ;) Il y a beaucoup de pistes cyclables. Il existe aussi un système de partage de vélo : Bycyklen.

....
....
....
....
....
....
....
....

Les pronoms personnels COD

15. Complétez les phrases avec le pronom qui convient.

a. Les vêtements, je .... achète toujours sur Internet.
b. Le métro, je .... prends tous les jours pour aller au travail.
c. Le pont des Arts, je .... traverse quand je vais chez mon copain.
d. La voiture, je ne .... conduis pas souvent.
e. Cette application, je vous .... recommande.
f. Les produits bio, je .... achète chez un marchand de fruits et légumes.

16. Écoutez ces phrases. De quoi parlent ces personnes ?
66

a.	☐ mes chaussures	☐ mon manteau
b.	☐ son pantalon	☐ sa robe
c.	☐ le métro	☐ la voiture
d.	☐ le pain	☐ les fruits et légumes

17. Choisissez quatre vêtements ou objets indispensables pour vous et faites des phrases comme dans l'exemple.

— *Mon sac, je l'adore, je l'emmène partout et je l'utilise tous les jours.*

....
....
....
....
....
....
....
....
....
....
....
....

Les commerces

18. Écoutez ces sons. Où est-ce ? De quel commerce ou de quel service s'agit-il ? Écrivez le numéro de l'audio à côté de chaque commerce.
67

a. À la boucherie : ....
b. Dans un café : ....
c. Dans une boulangerie : ....
d. Dans une station-service : ....
e. Dans un hôpital : ....

19. Quels sont les commerces à moins de 500 mètres de chez vous ?

— *Dans ma rue, il y a une épicerie.*
— *Dans la rue derrière chez moi, il y a un salon de coiffure.*

....
....
....
....
....
....

20. Quels sont les commerces où vous aimez aller ? Quels sont ceux où vous n'aimez pas aller ? Pourquoi ?

— *Moi j'aime bien aller chez mon boucher, car il a de très bons produits et ils ne sont pas chers. Il est très sympa et, parfois, il me donne des conseils pour cuisiner.*
Je n'aime pas aller chez le poissonnier, car je n'aime pas l'odeur du poisson.

....
....
....
....
....
....
....
....
....

L'impératif

21. Quels sont les conseils ou les ordres que vous détestez entendre de la part de vos parents et de vos amis ?

— *« Mange moins vite ».*

....
....
....

22. Écrivez des slogans à l'impératif pour chaque application.

a. Avec Kidil, les commerçants envoient aux consommateurs les promotions valables pendant quelques heures.
— *Avec Kidil, découvrez les promotions du jour.*
b. Avec AroundMe, le consommateur trouve rapidement des informations sur les commerces à proximité.

....

c. Avec Fooding, vous pouvez trouver des bonnes adresses pour manger près de chez vous.

....

L'impératif

23. Recommandez ou non un vêtement de votre choix et écrivez un commentaire sur ce forum à l'impératif.

Ces chaussures sont très confortables, je vous les recommande vraiment ! Achetez-les aujourd'hui, elles sont en promotion !

Ce pull est trop grand. Prenez la taille en dessous.

....
....
....
....
....
....
....
....
....
....
....

Les vêtements

24. Que mettez-vous dans votre valise pour un séjour d'une semaine ? Faites une liste de vêtements et d'accessoires.

En été, pour aller à la plage	En hiver, pour aller à la montagne
5 tee-shirts	*7 paires de chaussettes*

25. Dans votre armoire, quels sont les trois vêtements que vous pourriez donner ? Décrivez la couleur, la matière, la taille...

....
....
....
....
....
....
....
....
....
....
....
....
....

Les déterminants démonstratifs

26. Complétez avec des déterminants démonstratifs, puis écrivez des phrases à l'aide des étiquettes pour illustrer les images.

trop grand(e)s | trop petit(e)s | très coloré(e)s | trop vieux, vieille/s | trop cher/s, chère/s | très long/s, longue/s | très chaud(e)s | trop large/s

a. *Ces* chaussures *sont trop grandes.*

b. .... robe ....

c. .... chemise ....

d. .... jean ....

e. .... anorak ....

f. .... chaussettes ....

g. .... tee-shirt ....

h. .... pull ....

PHONÉTIQUE - Discrimination singulier - pluriel

27. Écoutez et cochez si vous entendez le son [œ] comme dans *le* ou [E] comme dans *les*.
68

	[œ]	[E]
1.	x	
2.		
3.		
4.		
5.		
6.		

Le singulier et le pluriel
En français, on distingue le singulier du pluriel, à l'oral comme à l'écrit. L'article (ou le déterminant) joue aussi ce rôle.
On prononce différemment le déterminant singulier **le**, **ce**, de l'article pluriel : **les**, **ces**.

28. Écoutez les énoncés au singulier et au pluriel. Dans quel ordre sont-ils prononcés ?
69

	1.	2.	3.	4.	5.	6.
[lœ] - [cœ] singulier	1					
[lE] - [cE] pluriel	2					

PROSODIE - Groupe rythmique

29. Écoutez les phrases et répétez-les en respectant le rythme et l'intonation.
70

DEUX GROUPES DE SOUFFLE
Je vais visiter Nancy. Nancy est une ville française.

TROIS GROUPES DE SOUFFLE
D'abord, je vais aller sur la Grand-Place.
Ensuite, je vais aller voir l'opéra.

QUATRE GROUPES DE SOUFFLE
Pour terminer, je vais vous accompagner au marché central, lieu incontournable de la gastronomie locale.

PROSODIE - Intonation et expression

30. Écoutez et jouez ces dialogues à deux en respectant l'intonation et l'expression.
71

1.
- • Tu connais cette nouvelle application ?
- ○ Non, pas du tout, montre-moi !
- • Regarde, c'est facile et rapide !

2.
- • J'aimerais inviter ma copine au restaurant mais je n'ai pas assez d'argent.
- ○ Tu peux utiliser l'application Kidil pour recevoir des offres promotionnelles.
- • Trop cool ! Merci !

PROSODIE - l'intonation injonctive

L'intonation injonctive
L'intonation injonctive peut exprimer un souhait, un ordre, un conseil ou une interdiction. Elle peut être à l'infintif ou au présent mais, le plus souvent, elle est à l'impératif.

À l'impératif, la phrase injonctive est utilisée pour exprimer un ordre ou une proposition.
- Pour exprimer un ordre, l'intonation descend
- Pour exprimer une proposition, l'intonation monte légèrement.

31. Écoutez les phrases et identifiez l'intonation de chaque phrase : affirmative ou injonctive. Soulignez la phrase affirmative en bleu et la phrase injonctive en vert.
72

1. Achète des pommes.
   Va au marché !
2. Prends des produits spécifiques.
   Commandez-les sur Internet !
3. Soutenons l'agriculture locale !
   N'oublie pas d'aller au supermarché !
4. Mange du poisson.
   Sois attentif à la qualité des produits !

PHONÉTIQUE - Discrimination [i] et [y]

32. Écoutez les mots. Quel son entendez-vous ?
73

	[i] comme *site*	[y] comme *jupe*
1.	x	
2.		
3.		
4.		
5.		
6.		
7.		
8.		

33. Écoutez cette conversation entre deux amis et jouez-la à deux.
74

- • Salut !
- ○ Salut Yves !
- • Tu fais quoi cet après-midi ?
- ○ Je vais visiter l'aquarium de Nancy.
- • Ah bon pourquoi ?
- ○ Aujourd'hui, il y a une exposition sur les îles du monde. En plus, c'est gratuit !
- • Ah cool ! T'as toujours des bons plans ! Tu les trouves où ?
- ○ Sur l'appli museum. Tu connais pas ?
- • Ben non mais montre-moi.
- ○ Regarde c'est super pratique !
- • Tu l'utilises souvent ?
- ○ Oui pour tout, les musées, les commerces, les vêtements et tout ça.

PROSODIE - Enchaînement et groupe rythmique

34. Écoutez et répétez respectant les groupes rythmiques. Puis, écrivez la lettre *i* ou *u*.

75

1. origine
or◯g◯ne France
or◯g◯ne France garant◯e

2. gr◯s
un p◯ll gr◯s
un pet◯t p◯ll gr◯s

3. ◯ne chem◯se
◯ne chem◯se à ray◯res.
◯ne chem◯se à ray◯res class◯que

4. d◯cu◯r
d◯cu◯r b◯o
d◯cu◯r 100 % b◯olog◯que

Autoévaluation

Mes compétences à la fin de l'unité 7

Je suis capable de / d'...	J'ai encore des difficultés à...	Je ne suis pas encore capable de / d'...	
			parler des lieux de la ville.
			indiquer un itinéraire.
			recommander des commerces, des applications, des vêtements...
			décrire une tenue vestimentaire.

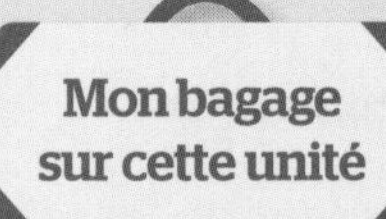

1. Qu'est-ce que vous avez appris sur la culture française et francophone ?

....

....

....

2. Qu'est-ce qui vous a le plus intéressé et / ou étonné ?

....

....

....

3. Qu'est-ce qui est différent par rapport à votre culture ? Et qu'est-ce qui est similaire ?

....

....

4. Vous aimeriez en savoir plus sur...

....

....

....

Une pincée de sel

Les aliments et les catégories d'aliments

1. **Complétez la carte mentale des saveurs avec des noms d'aliments ou de plats.**

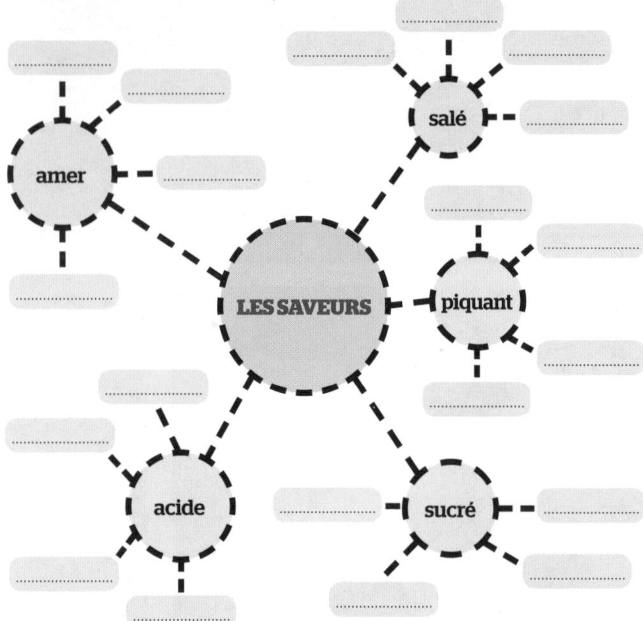

2. **Faites votre menu de deux jours de la semaine prochaine à l'aide des étiquettes et des aliments de l'activité précédente. Vous pouvez barrer les aliments que vous n'aimez pas et ajouter des plats que vous aimez.**

Petit déjeuner	Déjeuner	Goûter	Dîner

3. **Comparez vos réponses de l'activité précédente avec celles d'un/e camarade. Avez-vous les mêmes goûts ?**

4. **En petits groupes, trouvez un maximum de fruits et de légumes commençant par ces lettres. Comparez vos propositions avec un autre groupe.**

• *A : aubergine...*

A B C D F H K

L M N O P R T

5. **Observez ce nuage de mots et regroupez les mots par catégorie. Quel classement avez-vous choisi ? Quels mots se trouvent dans plusieurs catégories ?**

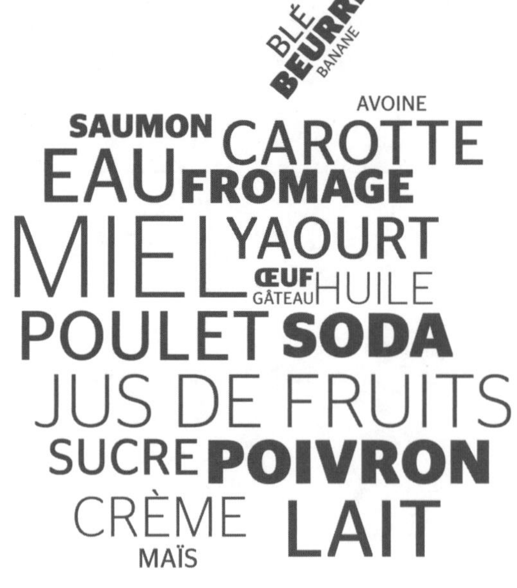

....

....

....

....

....

....

Les articles partitifs

6. **Complétez ce texte avec des articles partitifs.**

Le goûter est un repas léger. On l'appelle aussi le « quatre-heures » parce que les enfants le mangent souvent après l'école, vers 16 h.

Que donner à son enfant pour le goûter ?

Pour un goûter équilibré, il faut quatre choses :

• .... céréales pour l'énergie : .... pain avec .... beurre, ... confiture ou un morceau de chocolat, ... biscuits, etc.

• .... produits laitiers pour le calcium et les protéines : .... lait, ... yaourts, etc.

• .... fruits pour la vitamine C : une pomme, une banane, etc.

• une boisson pour s'hydrater : .... eau ou .... jus de fruits.

7. **Écrivez les articles partitifs, puis répondez à l'enquête.**

Vos habitudes alimentaires : quels produits consommez-vous ?

		souvent	parfois	jamais
Céréales	.... pain	☐	☐	☐
	.... avoine	☐	☐	☐
	Autre :	☐	☐	☐
Viande et poisson	.... poulet	☐	☐	☐
	.... agneau	☐	☐	☐
	.... thon	☐	☐	☐
	.... saumon	☐	☐	☐
	Autre :	☐	☐	☐
Légumes	.... courgettes	☐	☐	☐
	.... salade	☐	☐	☐
	.... tomates	☐	☐	☐
	Autre :	☐	☐	☐
Matières grasses	.... beurre	☐	☐	☐
	.... huile	☐	☐	☐
	Autre :	☐	☐	☐
Produits laiters	.... lait	☐	☐	☐
	.... crème fraîche	☐	☐	☐
	.... yaourts	☐	☐	☐
	Autre :	☐	☐	☐
Produits sucrés	.... sucre	☐	☐	☐
	.... miel	☐	☐	☐
	.... bonbons	☐	☐	☐
	Autre :	☐	☐	☐
Fruits	.... fraises	☐	☐	☐
	.... poires	☐	☐	☐
	Autre :	☐	☐	☐

8. **Avec un/e camarade, interrogez-vous, à l'aide de l'enquête, pour connaître vos habitudes alimentaires.**

- *Est-ce que tu manges souvent du pain ?*
- *Oui, je mange du pain tous les matins, au petit déjeuner.*

Les adverbes de quantité

9. **Observez ces listes de courses. Que pensez-vous des quantités proposées pour chaque repas ? Écrivez un court avis.**

— *Pour un repas à deux, je trouve qu'il y a trop de poulet et…*

a. Pour un repas à deux : du riz, deux poulets entiers, un oignon, une courgette, six mangues.

....

....

....

b. Pour une fête entre amis (8 personnes) : une salade verte, deux pains, trois bouteilles de sodas, dix fromages, six gâteaux au chocolat.

....

....

....

c. Pour un déjeuner rapide (2 personnes) : un œuf dur, une tranche de pain, de la salade verte, une pomme.

....

....

....

10. **Observez les images. Qu'est-ce qui vous étonne ? Échangez à deux.**

- *Il y a beaucoup de sucre dans un bol de céréales !*

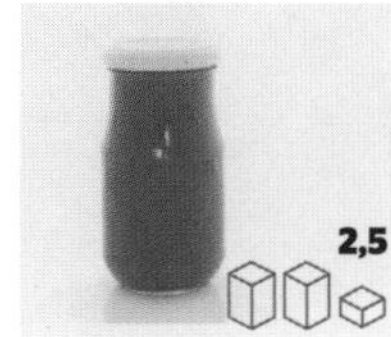

un pot de sauce tomate

un éclair au chocolat

un pot de pâte à tartiner

un yaourt à la vanille

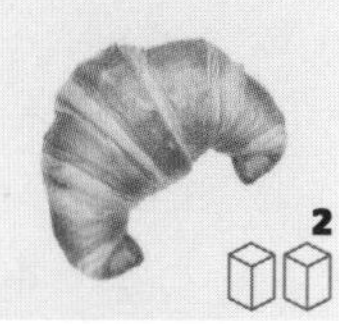

un croissant

un sandwich au pain de mie

un bol de céréales

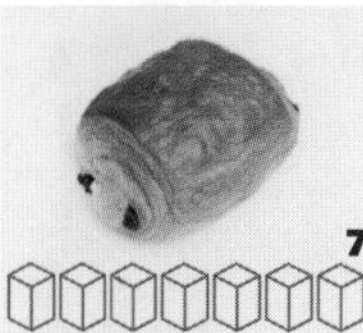

un pain au chocolat

une tablette de chocolat noir

11. **Quels sont les aliments qui ont beaucoup de sel ? Et peu de sel ? Faites des recherches sur Internet si nécessaire.**

....

....

....

....

....

....

Les verbes en *-ger* au présent

12. **Complétez l'article à l'aide des verbes suivants conjugués au présent de l'indicatif.**

manger | échanger | partager | voyager

Vous voulez lutter contre le gaspillage alimentaire ?

Notre association, *Une tomate contre une pomme*, est faite pour vous ! Comme vous le savez, nous avons trop de produits dans notre frigo et parfois, nous ne les .... pas. Pour ne pas les gaspiller, dans l'association, nous les .... : nous .... des aliments contre d'autres produits que nous n'avons pas. De plus, nous pensons que les aliments .... trop, alors nous essayons de consommer des produits locaux.

Pour plus d'informations, contactez-nous !

Le lexique de la cuisine

13. Écoutez les sons. À quelles actions correspondent-ils ?

76

mixer | cuire | mélanger | verser | couper | frire

a. .... d. ....
b. .... e. ....
c. .... f. ....

14. Associez les ustensiles aux images. Lesquels peuvent servir à réaliser les actions de l'activité précédente ?

— *Pour couper, on utilise un couteau.*

a. une poêle • • 1.
b. une casserole • • 2.
c. un bol • • 3.
d. un couteau • • 4.
e. une cuillère • • 5.
f. un verre • • 6.

....

Les poids et les mesures

15. Écoutez les deux versions de la recette du hachis parmentier et complétez les listes d'ingrédients.

77

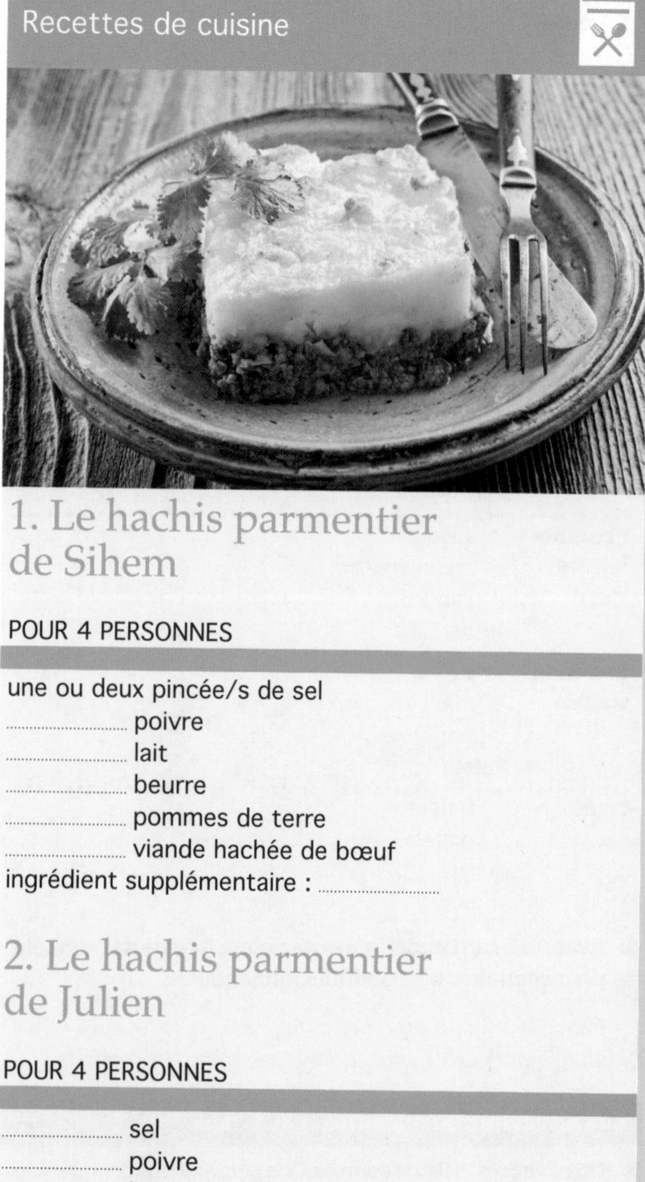

Recettes de cuisine

1. Le hachis parmentier de Sihem

POUR 4 PERSONNES

une ou deux pincée/s de sel
.... poivre
.... lait
.... beurre
.... pommes de terre
.... viande hachée de bœuf
ingrédient supplémentaire : ....

2. Le hachis parmentier de Julien

POUR 4 PERSONNES

.... sel
.... poivre
.... lait
.... beurre
.... pommes de terre
.... viande hachée de bœuf
.... huile d'olive
ingrédient supplémentaire : ....

16. Choisissez un plat, faites la liste de ses ingrédients, puis expliquez la recette sans dire son nom. Vos camarades devinent de quelle recette il s'agit.

....

Les marqueurs de temps

17. Écoutez et devinez de quel aliment il s'agit.

78 Qu'est-ce que c'est ? ....

18. Réécoutez l'audio et complétez ces phrases avec des marqueurs de temps.

78

a. Il est né en Amérique centrale ....
b. Christophe Colomb a découvert l'Amérique ....
c. Il a voyagé dans les autres pays d'Europe ....

19. Associez pour former des phrases. Puis vérifiez dans l'unité.

a. La tomate et l'orange sont arrivées en Europe **au**...	**1.** 6 000 ans.
b. La canne à sucre est née en Inde **il y a**...	**2.** 2012.
c. Thierry Marx a créé *Cuisine mode d'emploi(s)* **en**...	**3.** XVIe siècle.

Le passé composé : les participes passés

20. Voici des verbes de l'unité 8. Retrouvez leur participe passé.

a. manger : ....
b. arriver : ....
c. ouvrir : ....
d. faire : ....
e. aimer : ....
f. découvrir : ....
g. apprendre : ....
h. naître : ....
i. mélanger : ....
j. grandir : ....
k. former : ....
l. être : ....
m. voyager : ....
n. créer : ....
o. vivre : ....
p. avoir : ....
q. dire : ....
r. goûter : ....

Le passé composé avec *avoir*

21. Conjuguez les verbes au passé composé. Puis vérifiez vos réponses dans l'article de la page 126 du livre de l'élève.

a. Il .... (grandir) dans un quartier modeste.
b. Il .... (arrêter) sa scolarité très jeune.
c. Il .... (reprendre) des études de cuisine.
d. Il .... (créer) l'école *Cuisine mode d'emploi(s)*.
e. L'école .... (avoir) beaucoup de succès.
f. Il .... (ouvrir) des centres de formation dans toute la France.
g. Ses centres .... (former) plus de 700 personnes.
h. 90 % des stagiaires .... (trouver) un emploi après la formation.

22. Mettez les phrases de l'activité précédente à la forme négative.

a. ....
b. ....
c. ....
d. ....
e. ....
f. ....
g. ....
h. ....

23. Complétez l'article avec les verbes en étiquettes au passé composé.

DES CHEFS SOLIDAIRES

participer | cuisiner | décider | suivre

MATHIEU PACAUD

En 2017, le chef étoilé Mathieu Pacaud .... d'aider l'association caritative Les Restos du cœur. Lui et son équipe .... 80 litres de soupe par semaine pendant tout l'hiver. Depuis, d'autres chefs étoilés .... son exemple et .... au projet.

obtenir | inviter | proposer | créer

JULIEN MACHET

Ce chef étoilé .... l'association Chefs de cœur en 2012 pour aider les personnes en difficulté de sa région, la Savoie. Il .... un menu gastronomique et .... plus de 24 000 euros. L'année suivante il .... d'autres chefs à participer au projet. Tous les bénéfices vont à la Banque alimentaire de Savoie.

24. Choisissez une personne connue que vous admirez. Faites une liste des grandes étapes de son parcours, puis écrivez un texte au passé.

— *Dian Fossey a étudié les gorilles pendant des années dans les montagnes du Rwanda...*

....
....
....
....
....
....
....
....
....
....
....
....

Le passé composé avec *être* et *avoir*

25. Observez ces verbes. Classez-les dans le tableau en fonction de l'auxiliaire utilisé au passé composé.

naître | servir | se promener | dire

se doucher | décider | aller faire | offrir

prendre | se lever | avoir | être | ouvrir

partir | boire | aimer | acheter | gagner

Conjugué avec *avoir*	Conjugué avec *être*

26. Pensez à deux plats originaux que vous avez goûtés. Expliquez votre expérience.

— *Je suis allé au Japon l'année dernière. Un midi, j'ai commandé un plat avec des haricots… Là-bas, les haricots rouges sont sucrés et préparés pour le dessert !*

27. À l'aide des photos de voyage d'Aïssata et de votre imagination, racontez les expériences vécues par Aïssata et son amie Emma pendant leur voyage.

— *Aïssata et Emma sont parties de Paris. Elles ont pris l'avion pour Bogotá, en Colombie…*

PHONÉTIQUE - Discrimination [i] - [u]

28. Écoutez les mots. Entendez-vous [i] ou [u] ? Complétez le tableau puis répétez les mots. Votre bouche a-t-elle la forme d'un sourire ou d'un bisou ?

79

	J'entends		Ma bouche	
	[i] comme dans *acide*	[u] comme dans *doux*		
1.	x		x	
2.				
3.				
4.				
5.				
6.				

PHONÉTIQUE - Discrimination [u] - [y]

29. Écoutez et soulignez les sons [u] et [y] dans les mots des étiquettes. Puis, classez-les dans le tableau.

80

la production | la nourriture | le coût

l'utilisation | l'ouverture | la découverte

[u]	[y]

30. Écoutez les énoncés. Dans quel ordre sont prononcés les sons [u] et [y] ?

81

	1.	2.	3.	4.	5.	6.
[u]	1					
[y]	2					

PHONIE-GRAPHIE - Les verbes en *-ger*

31. Écoutez la conjugaison des verbes *partager* et *mélanger* et barrez les lettres finales qui ne se prononcent pas. Puis, complétez l'encadré.

82

	Partager	**Mélanger**
Je	partage	mélange
Tu	partages	mélanges
Il / Elle / On	partage	mélange
Nous	partageons	mélangeons
Vous	partagez	mélangez
Ils / Elles	partagent	mélangent

Les trois formes du singulier (je, tu, il/elle/on) et la troisième personne du pluriel (ils/elles) ont une prononciation :
☐ identique ☐ différente

PHONÉTIQUE - Discrimination des sons [ʃ] et [ʒ]

32. Écoutez et entourez les sons [ʃ] comme dans *chat* et soulignez les sons [ʒ] comme dans *jouer*. Puis, répétez les énoncés.

83

1. On partage du fromage.
2. On réchauffe un plat.
3. On choisit des sushis.
4. On change de recette.
5. On ne jette pas l'argent par les fenêtres.

PHONÉTIQUE - Les voyelles nasales [ɑ̃], [ɛ̃] et [ɔ̃]

33. Écoutez et différenciez la voyelle orale de la voyelle nasale. Entendez-vous une différence ?

84

	1.	2.	3.	4.	5.	6.	7.	8.
Orale								
Nasale								

34. Écoutez les mots et cochez dans le tableau.

85

	1.	2.	3.	4.	5.	6.
[ɑ̃] Comme dans orange						
[ɛ̃] Comme dans pincée						
[ɔ̃] Comme dans passion						

35. Écoutez les énoncés. Dans quel ordre sont prononcées les voyelles nasales ?

86

A.	**[ɛ̃]**	**[ɑ̃]**
1.	1	2
2.		
3.		
4.		

B.	**[ɛ̃]**	**[ɔ̃]**
1.		
2.		
3.		
4.		

PHONÉTIQUE - *Être* et *avoir* au passé composé

36. Écoutez ces verbes au présent et au passé composé. Quel son entendez-vous en premier ? Complétez le tableau.

87

	Présent	**Passé composé**
manger		
partager		
cuisiner		
aimer		

PHONÉTIQUE - *Être* et *avoir* au passé composé

37. Écoutez. Le verbe est-il conjugué avec *avoir* ou *être* ? Écrivez l'auxiliaire entendu.
88

1. Ils .... voyagé en Asie.
2. Ils .... partis en Asie.
3. On .... acheté des calamars.
4. On .... allé au marché.

PROSODIE - L'énumération

38. Écoutez et séparez les groupes de souffle. Répétez ensuite en respectant les groupes.
89

1. Pour faire une salade de riz, je mélange du riz, du thon, des tomates et des olives.
2. Pour préparer du riz au lait, nous mélangeons du riz, du lait, du sucre et de la cannelle.

L'énumération
On remarque que dans une énumération, chaque élément de la liste constitue un groupe rythmique (= une unité de sens). On remarque qu'un signe de ponctuation marque la fin d'un groupe rythmique.

Autoévaluation

Mes compétences à la fin de l'unité 8

Je suis capable de / d'...	J'ai encore des difficultés à...	Je ne suis pas encore capable de / d'...	
			parler de mes goûts et de mes préférences alimentaires.
			présenter une recette de cuisine.
			raconter une expérience au passé.
			parler de l'origine et de l'histoire des aliments.

Mon bagage sur cette unité

1. **Qu'est-ce que vous avez appris sur la culture française et francophone ?**

....

....

....

2. **Qu'est-ce qui vous a le plus intéressé et / ou étonné ?**

....

....

....

3. **Qu'est-ce qui est différent par rapport à votre culture ? Et qu'est-ce qui est similaire ?**

....

....

....

4. **Vous aimeriez en savoir plus sur...**

....

....

....

DELF

Le DELF

Le Diplôme d'Études en Langue Française (DELF) est un diplôme délivré par le Centre international d'études pédagogiques (CIEP), établissement public du ministère de l'Éducation nationale français. Le diplôme est valable à vie ; il est reconnu dans plus de 170 pays.

Le niveau A1

Le niveau A1 correspond à 80 à 100 heures d'apprentissage. Le candidat de niveau A1 est capable de :

- comprendre et utiliser des expressions familières simples sur des activités de la vie quotidienne.
- comprendre et utiliser des expressions familières simples pour satisfaire des besoins concrets (acheter quelque chose, demander des informations simples).
- se présenter ou présenter quelqu'un, poser des questions à une personne (identité, famille, lieu d'habitation, activités) et répondre à ces mêmes questions.

Conseils généraux

- Avant l'examen, pratiquez les différentes épreuves.
- Vérifiez la durée des épreuves et gérez bien votre temps.
- Pour chaque exercice, prenez le temps de bien lire les consignes.
- N'en faites pas trop ! Il vaut mieux donner une réponse courte mais correcte.

Les épreuves

Nature des épreuves	Durée	Note sur
Compréhension de l'oral (CO) Réponse à des questionnaires portant sur trois ou quatre courts documents enregistrés ayant trait à des situations de la vie quotidienne (2 écoutes). Durée maximale des documents : 3 min.	20 min environ	25
Compréhension des écrits (CE) Réponse à des questionnaires de compréhension portant sur quatre ou cinq documents écrits relatifs à des situations de la vie quotidienne.	30 min	25
Production écrite (PE) Épreuve en deux parties : · compléter un formulaire, une fiche, etc. · rédiger des phrases simples (cartes postales, légendes, etc.) sur des sujets de la vie quotidienne.	30 min	25
Production orale (PO) Épreuve en trois parties : · l'entretien dirigé. · l'échange d'informations. · le dialogue simulé.	5 à 7 min (préparation : 10 min)	25
Seuil de réussite pour obtenir le diplôme : 50/100 Note minimale requise (pour chaque épreuve) : 5/25	Durée totale des épreuves : 1 h 20	Note totale : 100

90

Exercice 1 Message sur un répondeur POINTS 7

Vous allez entendre 2 fois un document. Vous aurez 30 secondes de pause entre les 2 écoutes, puis 30 secondes pour vérifier vos réponses. Lisez d'abord les questions.

Vous réalisez un appel téléphonique et vous tombez sur le répondeur.

1. **Il s'agit de la messagerie vocale :** POINTS 2
   - ☐ d'un restaurant.
   - ☐ d'un hôtel.
   - ☐ d'une salle de spectacle.
2. **Pour aller à l'Olympia, on peut prendre le métro ligne ...... ou ......** POINTS 2
3. **L'accueil est ouvert :** POINTS 2
   - ☐ tous les jours de 13 h à 21 h 30.
   - ☐ le dimanche de 13 h à 20 h 30.
   - ☐ du lundi au samedi de 13 h à 20 h 30.
4. **Si vous voulez réserver, il faut taper ......** POINT 1

91

Exercice 2 Annonce à la radio POINTS 7

Vous allez entendre 2 fois un document. Vous aurez 30 secondes de pause entre les 2 écoutes, puis 30 secondes pour vérifier vos réponses. Lisez d'abord les questions.

Vous entendez une annonce à la radio.

1. **Ce message s'adresse aux habitants de :** POINTS 2
   - ☐ Bruxelles.
   - ☐ Namur.
   - ☐ Liège.
2. **C'est un message pour :** POINTS 2
   - ☐ inviter un ami à une fête.
   - ☐ s'inscrire à un événement.
   - ☐ trouver une équipe pour faire du sport.
3. **Complétez la phrase :** POINT 1

   Une équipe = 7 .... et 2 enfants.
4. **Pour s'inscrire aux Walloniades, il faut téléphoner au 04 ...... 67 ...... 02.** POINTS 2

92

Exercice 3 Pub radio POINTS 6

Vous allez entendre 2 fois un document. Vous aurez 30 secondes de pause entre les 2 écoutes, puis 30 secondes pour vérifier vos réponses. Lisez d'abord les questions.

Vous entendez cette publicité à la radio.

1. **L'événement « Allons au restaurant ! » a lieu :** POINTS 2

   du .... septembre au .... octobre 2017
2. **Cet événement a lieu :** POINT 1
   - ☐ à Paris seulement.
   - ☐ dans la France entière.
   - ☐ on ne sait pas.
3. **Quel est le concept de cet événement ?** POINT 1

   ....

   ....

   ....
4. **L'année dernière, l'événement « Allons au restaurant ! » a attiré :** POINTS 2
   - ☐ beaucoup de monde.
   - ☐ pas beaucoup de monde.
   - ☐ on ne sait pas.

93 **Exercice 4** Images

POINTS **5**

(1 point par bonne réponse)

Vous allez entendre 2 fois 5 courts dialogues correspondant à 5 situations différentes. Il y a 15 secondes de pause après chaque dialogue. observez les images. Écoutez et notez, sous chaque photo, le numéro du dialogue qui correspond.

a. Dialogue n° ....

b. Dialogue n° ....

c. Dialogue n° ....

d. Dialogue n° ....

e. Dialogue n° ....

Exercice 1 Règlement — POINTS 5

Lisez le texte et répondez aux questions.

PISCINE D'Ô

Chers nageurs, chères nageuses,

Nous vous rappelons quelques règles à respecter pour le confort de tous.

› Interdiction de porter des chaussures dans les vestiaires.
› Douche obligatoire avant d'aller dans l'eau.
› Bonnet de bain obligatoire. Pour votre information, des bonnets sont en vente à l'accueil pour 15 euros.
› Les enfants de moins de 8 ans ne doivent pas aller dans le grand bassin. Ils doivent rester dans le petit bassin et être obligatoirement accompagnés par un adulte.
› Interdiction de courir au bord de la piscine.

Merci de votre compréhension.

Sportivement, la direction

1. C'est un document écrit par : POINT 1

- ☐ une piscine municipale.
- ☐ une école.
- ☐ un magasin de vêtements de sport.

2. Ce message est pour s'informer sur : POINT 1

- ☐ le règlement intérieur de la piscine.
- ☐ les cours de natation.

3. À l'accueil, on peut acheter : POINT 1

....

4. À quel âge les enfants peuvent-ils aller dans le grand bassin ? POINT 1

....

5. Il ne faut pas : POINT 1

Exercice 2 E-mail — POINTS 5

Lisez l'e-mail et répondez aux questions.

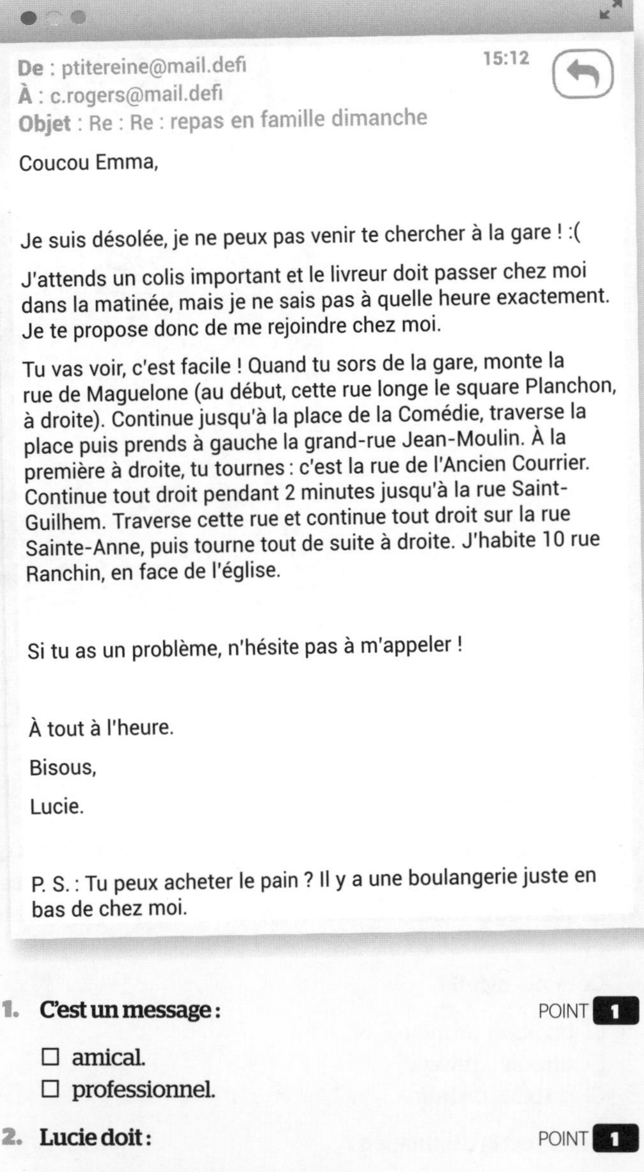

De : ptitereine@mail.defi — 15:12
À : c.rogers@mail.defi
Objet : Re : Re : repas en famille dimanche

Coucou Emma,

Je suis désolée, je ne peux pas venir te chercher à la gare ! :(

J'attends un colis important et le livreur doit passer chez moi dans la matinée, mais je ne sais pas à quelle heure exactement. Je te propose donc de me rejoindre chez moi.

Tu vas voir, c'est facile ! Quand tu sors de la gare, monte la rue de Maguelone (au début, cette rue longe le square Planchon, à droite). Continue jusqu'à la place de la Comédie, traverse la place puis prends à gauche la grand-rue Jean-Moulin. À la première à droite, tu tournes : c'est la rue de l'Ancien Courrier. Continue tout droit pendant 2 minutes jusqu'à la rue Saint-Guilhem. Traverse cette rue et continue tout droit sur la rue Sainte-Anne, puis tourne tout de suite à droite. J'habite 10 rue Ranchin, en face de l'église.

Si tu as un problème, n'hésite pas à m'appeler !

À tout à l'heure.

Bisous,

Lucie.

P. S. : Tu peux acheter le pain ? Il y a une boulangerie juste en bas de chez moi.

1. C'est un message : POINT 1

- ☐ amical.
- ☐ professionnel.

2. Lucie doit : POINT 1

- ☐ aller à la Poste prendre un colis.
- ☐ rester chez elle pour accueillir le livreur.

3. Quelle est l'adresse de Lucie ? POINT 1

....

....

....

4. Quel commerce se trouve en bas de chez Lucie ? POINT 1

- ☐ un supermarché.
- ☐ une épicerie.
- ☐ une boulangerie.

Exercice 2 (suite)

5. Relisez l'e-mail et tracez l'itinéraire qu'Emma doit suivre. POINTS 1

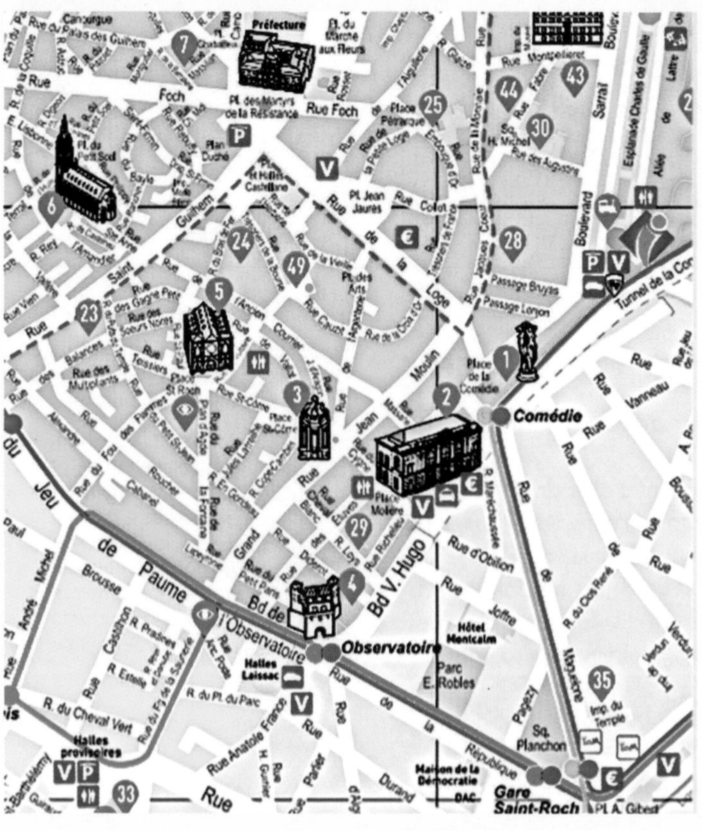

Exercice 3 Transport

POINTS 5

Vous voyagez depuis Paris. Observez le billet et répondez aux questions.
Répondez directement aux questions avec des phrases courtes.
Aidez-vous de certains mots ou de symboles clés présents sur le billet ou dans les questions.

1. De quoi s'agit-il ? POINT 1

- ☐ un ticket de métro.
- ☐ un billet d'avion.
- ☐ un billet de train.

2. Quelle est la destination ? POINT 1

....

3. Pour quand ce billet est-il valable ? POINT 1

....

4. Quelle est l'heure de départ ? POINT 1

....

5. Combien coûte le billet ? POINT 1

....

TRAIN
BILLET DE TRAIN À COMPOSTER AVANT L'ACCÈS AU TRAIN
PARIS/MASSY -> LILLE
UTILISABLE DU 16/02/2012 AU 26/02/2012
01 ADULTE
CLASSE 1
70512 003238
2015 8
DÉPART PARIS/MASSY 8H25
ARRIVÉE LILLE 10H11
NON FUMEUR
TRAIN CG 8456N - 456200/85/250
PORTE 16 - QUAI N°2
PRIX EUR **35.00
: DT 000021568
: CB00332154 PARIS/MASSY 065647 08H00
ID.CODE GH458487951 : B893E7 LILLE P016 N2

Exercice 4 Article de presse POINTS **10**

Lisez l'article suivant et répondez aux questions.

Actu People

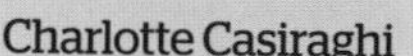
Charlotte Casiraghi

Gad Elmaleh

Anne Brochet

Charlotte Casiraghi, fille de la princesse Caroline de Monaco, et le comédien Gad Elmaleh ont eu un fils, Raphaël, le mardi 17 décembre 2013. À 27 ans, c'est le premier enfant de Charlotte Casiraghi, la fille aînée de Caroline de Monaco. Il s'agit du « deuxième petit-fils de la princesse Caroline », écrit Monaco Matin. Gad Elmaleh est déjà père d'un garçon, Noé, aujourd'hui adolescent, qu'il a eu avec son ancienne compagne, la comédienne Anne Brochet. L'humoriste et Charlotte ont été officiellement en couple depuis début 2013. Ils ne se sont pas mariés et ils se sont séparés en 2015.

11 | PEOPLE

1. Les parents de Raphaël sont : POINTS **2**

- ☐ Charlotte Casiraghi et Gad Elmaleh.
- ☐ Caroline de Monaco et Gad Elmaleh.
- ☐ Anne Brochet et Gad Elmaleh.

2. Raphaël est né le : POINTS **2**

....

....

3. En 2013, quel est l'âge de Charlotte ? POINTS **2**

....

....

4. Raphaël et Noé sont : POINTS **2**

- ☐ frères.
- ☐ demi-frères.
- ☐ cousins.

5. Quelle est la situation aujourd'hui ? POINTS **2**

Lors de cette épreuve de production écrite, vous devrez compléter une fiche ou un formulaire, rédiger une carte postale ou un mail qui portent sur des sujets de la vie quotidienne.

Exercice 1 Formulaire

POINTS **4**

(0,5 point par bonne réponse)

Vous venez d'arriver pour la première fois à Paris et vous allez rester une année. Complétez le formulaire pour avoir la carte M'Parispass (qui permet d'utiliser les transports publics parisiens).

M'Parispass

Tous mes déplacements en Île-de-France
Forfait illimité

Merci de compléter vos coordonnées

Vous pourrez ainsi finaliser votre inscription en ligne à M'Parispass

Civilité* ◯ Monsieur ◯ Madame

Nom*

Prénom*

Date de naissance*

Adresse*

Ville*

Pays*

Téléphone portable*

Exercice 2 Écrire un mail

POINTS **15**

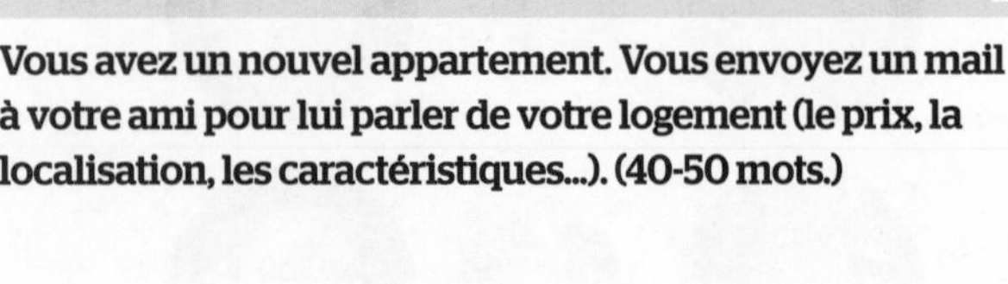

Vous avez un nouvel appartement. Vous envoyez un mail à votre ami pour lui parler de votre logement (le prix, la localisation, les caractéristiques...). (40-50 mots.)

Exercice 3 Légendes

POINTS **6**

(1 point par bonne réponse)

Voici une série d'images correspondant aux activités à faire à Paris. Imaginez la légende de chacune de ces images. (40-50 mots). L'examinateur doit pouvoir comprendre votre réponse, mais l'orthographe ne sera pas pénalisée.

L'épreuve de production orale comporte trois parties :

1. L'entretien dirigé (voir exercice 1).
2. L'échange d'informations (voir exercice 2).
3. Le dialogue simulé (voir exercice 3).

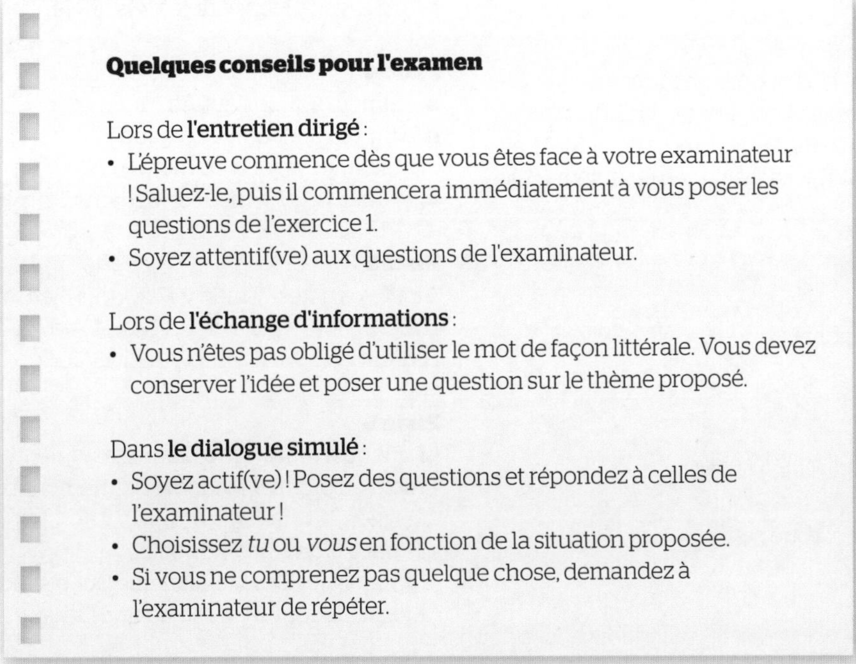

Quelques conseils pour l'examen

Lors de **l'entretien dirigé** :
- L'épreuve commence dès que vous êtes face à votre examinateur ! Saluez-le, puis il commencera immédiatement à vous poser les questions de l'exercice 1.
- Soyez attentif(ve) aux questions de l'examinateur.

Lors de **l'échange d'informations** :
- Vous n'êtes pas obligé d'utiliser le mot de façon littérale. Vous devez conserver l'idée et poser une question sur le thème proposé.

Dans **le dialogue simulé** :
- Soyez actif(ve) ! Posez des questions et répondez à celles de l'examinateur !
- Choisissez *tu* ou *vous* en fonction de la situation proposée.
- Si vous ne comprenez pas quelque chose, demandez à l'examinateur de répéter.

Exercice 1 Entretien dirigé

Répondez aux questions suivantes.

1. Parlez-moi d'une journée habituelle.

- **Vous vous levez à quelle heure ?**
- **Vous déjeunez à quelle heure ?**
- **Qu'est-ce que vous mangez pour le déjeuner ?**
- **Quelles activités vous faites en journée ? Et en soirée ? Vous travaillez ? Vous regardez la télé ?**
- **Le soir, vous vous couchez à quelle heure ?**

2. Parlez-moi des vacances.

- **Quand vous partez en vacances, vous partez loin ?**
- **Vous partez avec qui ?**
- **Combien de temps vous partez ?**
- **Vous préférez partir à la mer ou à la montagne ?**
- **Quels transports vous utilisez ?**
- **Qu'est-ce que vous faites comme activités ?**
- **À quelle saison vous aimez partir ?**

Exercice 2 Échange d'informations

À l'aide des mots ci-dessous, posez des questions à l'examinateur.
Entraînez-vous avec votre professeur ou avec un/e camarade. Vous avez déjà appris beaucoup de choses ! Restez calmes et faites des questions simples et courtes.

goût(s) | profession | âge | nationalité(s) | frère(s) et soeur(s) | langue(s)

Exercice 3 Dialogue

Vous souhaitez faire un stage de kitesurf. Vous présentez ce stage à un(e) ami(e) : lieu, durée, prix, conditions... et vous l'invitez à s'inscrire.
L'examinateur(trice) joue le rôle de votre ami/e.
Vous pouvez utiliser *tu* car on vous demande d'imaginer une conversation avec un/e ami/e.

UNITÉ 1

Piste 1

a. Aujourd'hui, les prénoms de garcons les plus donnés en France sont : en premier Gabriel (G, A, B, R, I, E, L), en deuxième Jules (J, U, L, E, S) ou Raphaël (R, A, P, H, A, E tréma, L), en troisième Léo (L, E accent aigu, O), en quatrième Adam (A, D, A, M), en cinquième Lucas (L, U, C, A, S).

b. Les prénoms de filles les plus donnés en France actuellement sont : en premier, Louise (L, O, U, I, S, E), en deuxième, Jade (J, A, D, E) en troisième, Emma (E, M, M, A), en quatrième Chloé (C, H, L, O, E accent aigu), en cinquième Alice (A, L, I, C, E).

Piste 2

1.
• Bonjour Monsieur, votre nom ?
◦ Yemaya.
• Yemaya... Yemaya... Tom ?
◦ Oui. Tom Yemaya.
• Voilà Monsieur, chambre 4, premier étage.

2.
• Et vous, Madame ? Quel est votre nom ?
◦ Obatala.
• O ba ta la ..., Samira ?
◦ Oui.
• Voilà Madame, chambre 3. Bon séjour !

3.
• Bonjour, vous êtes Monsieur... ?
◦ Je suis Jorge Eleggua.
• Alors, Monsieur Eleggua, vous avez la chambre 8 ! Deuxième étage. Voilà ! Bon séjour.
◦ Merci !

Piste 3

1.
• Oui ?
◦ Bonjour. Madame Géron ?
• Oui.
◦ C'est Vite Pizza, Madame.
• Ah d'accord ! J'arrive.

2.
◦ Allô !
◦ Monsieur de Nève ?
• Oui, c'est moi !
◦ C'est la pizza, Monsieur.
• Ah oui, merci beaucoup. C'est combien ?

3.
• Bonjour ! Vous êtes Madame Archambaut ?
◦ Oui, c'est moi !
• Voilà votre pizza, Madame.
◦ Merci. C'est combien ?

4.
• Oui ?
◦ Bonjour Monsieur, c'est Vite Pizza !
• Ah bon ?
◦ Vous n'êtes pas Monsieur Dupont ?
• Oui, Louis Dupont, mais il y a un autre Monsieur Dupont, Pierre, c'est au deuxième étage.
◦ Oh pardon, Monsieur. Excusez-moi !
◦ Je vous en prie.

5.
• Allô... Madame Chantrenne ?
◦ Oui.
• C'est Vite Pizza, Madame !
◦ Ah oui, voilà, Monsieur, je vous ouvre.

Piste 4

a. Numéro 6, Monsieur Ali.
b. Numéro 9, Madame Pargaud ? Ah non, pardon, Pergaud. Madame Pergaud, numéro 9 !
c. Numéro 13. Monsieur et Madame Tian.

Piste 5

Alors, vos notes... Thierry, 17/20, très bien ! Monique, moyen, 12/20. Zhang, 14/20. Fatou, 14 aussi. Aldina, oh là là ! 8/20. Federike, bravo ! 18/20. Et Amar, 13/20.

Piste 6

• Dans quel ordre je livre les pizzas ?
◦ Alors, en premier, Madame Doutremont, puis Madame Seigner.
• Je n'ai pas de Madame Sedier.
◦ Non, Seigner. Ensuite, Madame Dubois, Monsieur Maréchal, Monsieur Couturiau et Madame Denfert.

Piste 7

Et le billet gagnant est le... 12 14 07 25 61 48 !

Piste 8

Votre attention, s'il vous plaît. Le propriétaire de la voiture immatriculée CB 344 AH est prié de déplacer son véhicule. Je répète. Le propriétaire de la voiture immatriculée CB 344 AH est prié de déplacer son véhicule. Merci !

Piste 9

Pour appeler une ambulance, faites le 15. Pour appeler la police, faites le 17. Pour appeler les pompiers, faites le 18.

Piste 10

île - tour - gare - rue - quai
Eiffel - Défense
gare du Nord - quais de Seine - tour Eiffel
polytechnique - zoo de Vincennes
île de la Cité - canal Saint-Martin
jardin du Luxembourg - faubourg Saint-Honoré

Piste 11

1. halles
2. cité
3. université
4. île de la Cité
5. sacré
6. Sacré-Cœur
7. métro
8. bouche de métro
9. Garnier
10. opéra Garnier

Piste 12
un
onze
treize
quinze
dix-sept
dix-huit

Piste 13
1. six - six arrondissements - six stations
2. dix - dix euros - dix minutes
3. les - les métros - les euros
4. deux - deux arrêts - deux kilomètres
5. trois - trois minutes - trois heures

Piste 14
1. la Suisse
2. la Belgique
3. la France
4. Andorre
5. l'Espagne
6. le Luxembourg
7. l'Allemagne
8. Monaco

Piste 15
1. Je suis Martin.
2. Tu es français.
3. Nous sommes là.
4. Vous êtes dans le métro.

Piste 16
1. J'ai 40 ans.
2. Nous avons deux frères.
3. Tu as 26 euros.
4. Vous avez trois enfants.

UNITÉ 2

Piste 17
• Bonjour, je vais compléter votre dossier. Quel est votre nom ?
◦ Martin.
• Et votre prénom ?
◦ Laura.
• D'accord. Quel âge avez-vous ?
◦ J'ai 24 ans.
• Et quelle est votre adresse ?
◦ 3 rue de Londres, dans le neuvième à Paris.
◦ Quel est votre numéro de téléphone ?
◦ 06 18 25 36 09.
• OK. Alors ensuite... quelle est votre adresse mail ?
◦ laura.martin@gmail.fr.
• Quelle est votre nationalité ?
◦ Française.
• Quelle est votre profession ?
◦ Je suis infirmière.
• Quelles sont les activités que vous aimez ?
◦ J'aime dessiner et faire des photos.

Piste 18
1. La Zinneke Parade, c'est quoi ?
2. C'est un grand défilé multiculturel.
3. Combien ça coûte ?
4. C'est gratuit.
5. Cela se passe où et quand ?
6. À Bruxelles, en mai.

Piste 19
1. La Zinneke Parade, c'est un grand défilé multiculturel.
2. Combien de personnes participent ?
3. Que font les participants ?
4. Les participants chantent et dansent.
5. Que connaissez-vous de la Belgique ?
6. Combien coûte l'événement ?

Piste 20
1. C'est un défilé.
2. C'est un grand défilé.
3. C'est un grand défilé multiculturel.
4. C'est un grand défilé multiculturel à Bruxelles.

Piste 21
parlé
détesté
mangez
spécialité
adorer
voyagé
visitez
acheter

Piste 22
1. Quel âge tu as ?
2. Quelles sont les trois langues officielles de la Belgique ?
3. Quelle est ta fête préférée ?
4. Quel produit est belge ?
5. Quelle est la mer de la Belgique ?
6. Quels produits sont typiquement belges ?

Piste 23
1. J'aime.
2. J'aime bien.
3. J'aime un peu.
4. Je n'aime pas.
5. Je n'aime pas beaucoup.
6. Je n'aime pas du tout.

Piste 24
1.
• Tu aimes la BD *Titeuf*?
◦ Ah, oui ! J'aime bien, mais je préfère *Tintin*.
• Ah bon ! Pas moi.

2.
• Vous aimez le chocolat ?
◦ Oui !!! J'adore le chocolat, surtout le chocolat suisse !
• Moi aussi, il est délicieux !

3.
• Milo aime les cloche de vache. Moi, je trouve ça kitch.
◦ Ah bon, moi pas, je trouve cela drôle !

Piste 25

1. Nous aimons le Laos.
2. Vous aimez la Suisse.
3. Ils aiment le fondant au chocolat.
4. Nous n'aimons pas le Laos.
5. Vous n'aimez pas la Suisse.
6. Ils n'aiment pas le fondant au chocolat.

UNITÉ 3

Piste 26

a.
• Bonjour, nom, prénom, âge et état civil, s'il vous plaît.
◦ Bonjour, je m'appelle Helena Bouix. Célibataire. Née le 3 août 1998.

b.
• Bonjour, Madame. Nom, prénom, âge et état civil, s'il vous plaît.
◦ Bonjour, je m'appelle Anne-Marie Perdrix avec IX. Veuve. Née le 21 janvier 1941.

c.
• Bonjour. Nom, prénom, âge et état civil, s'il vous plaît.
◦ Bonjour, je m'appelle Sylvain Petitot avec un T. Marié. Né le 4 décembre 1976.

Piste 27

1. Tu es marié ?
2. Je suis marié.
3. Vous avez eu beaucoup d'enfants ?
4. Il y a Julie, Sophie, Louise et Véronique.
5. Vous avez beaucoup d'enfants ?
6. Il est en couple, séparé, divorcé et célibataire.
7. Elle est amie avec un Irlandais, un Brésilien, un Français et un Belge.

Piste 28

1. mon oncle
2. mon grand-père
3. ton enfant
4. ton fils
5. son petit-fils
6. son amoureux
7. On s'est rencontrés très jeunes.
8. On a eu beaucoup d'enfants.

Piste 29

1. Mon anniversaire est le même jour que celui de mon grand-père.
2. Ton oncle a un enfant.
3. Ce mariage est une réussite !
4. On a trois fils et une fille.
5. Nous aimerions réaliser son arbre généalogique.
6. Son cousin a trois ans de plus que lui.

Piste 30

1. les amis
2. mon premier ami
3. un grand ami
4. mon ami

Piste 31

1. Les parents interdisent à leurs enfants de regarder des séries.
Les enfants peuvent regarder des séries.
2. Vous avez deux enfants ?
Vous voulez quatre enfants ?
3. C'est son grand frère.
C'est son grand ami Paul.
4. Ils habitent à Marseille.
Elle habite dans le nord de la France.
5. Son enfant est à l'école primaire.
Ton fils ne va pas dans cette école ?
6. On a six enfants !
On veut cinq enfants !
7. Ton premier enfant est grand ?
Ton premier mariage s'est mal terminé.

Piste 32

1. portugais / portugaise
2. russe / russe
3. allemand / allemande
4. italien / italienne
5. chinois / chinoise
6. belge / belge

Piste 33

1. anglais / anglaise
2. colombien / colombienne
3. marocain / marocaine
4. bulgare / bulgare
5. suédois / suédoise

UNITÉ 4

Piste 34

• Qu'est-ce que tu fais ?
◦ Je cherche une maison pour la retraite.
• Ah bon ?! Et qu'est-ce que tu cherches ? Ah, je sais : une maison luxueuse avec cinq chambres et cinq salles de bains, des murs en pierre, un immense salon qui occupe le rez-de-chaussée et une...
◦ ...eh non, pas du tout ! Je cherche quelque chose de simple : une maison sur un seul étage, de type T3. Je veux une chambre pour moi et une pour recevoir mes amis et mes enfants. Je n'ai pas besoin de terrasse ni de balcon.
• Moi, je ne veux pas d'appartement. Je pense que je vais acheter une petite maison sur une île déserte. Je serai tranquille !
◦ Tu dis ça maintenant parce que tu es jeune... On reparle de cela dans dix ans.... Je suis sûre que tu auras changé d'avis. Moi, une petite maison dans un lotissement avec des voisins, ça me convient très bien.

Piste 35
Journaliste : Bonjour Monsieur, nous faisons un reportage sur la décoration et l'importance des meubles pour les Français. Vous avez un instant pour répondre à une question ?
Homme 1 : Oui, bien sûr !
Journaliste : Merci beaucoup ! Alors, Monsieur, quel est l'objet le plus important selon vous ?
Homme 1 : Moi, c'est mon canapé, sans aucun doute ! J'aime bien les grands canapés pour lire et me reposer.
Journaliste : D'accord. Merci Monsieur ! Et pour vous, Madame, quel est l'objet ou le meuble le plus important ?
Femme 1 : Heu... les lampes, j'aime bien quand il y a de la lumière à la maison. Oui, chez moi, c'est très lumineux.
Journaliste : Les lampes, très bien. Et vous, Madame ?
Femme 2 : Hahaha, la télé bien sûr !!! La télé, c'est toute ma vie ! Je passe mes soirées à regarder des films.
Journaliste : Oui, bien sûr. Et vous, Monsieur ?
Homme 2 : Je dirais la table basse du salon, pour poser mon café.

Piste 36
1. une table
2. une table blanche
3. une étagère
4. une étagère rouge
5. un coussin
6. un coussin rond

Piste 37
1. un canapé
2. un canapé rectangulaire
3. une chaise
4. une chaise en bois

Piste 38
1. un canapé
2. un stylo
3. un immeuble

Piste 39
1. la télé
2. la sœur
3. les fleurs
4. les escaliers

Piste 40
1. plusieurs
2. beaucoup
3. chef d'œuvre
4. bateau

Piste 41
1. une université
2. une maison neuve
3. une clé
4. un verre d'eau

Piste 42
1. une entrée
2. un meuble
3. une couleur
4. un frigo
5. un aménagement
6. un bureau

Piste 43
[E] et [œ] :
1. le téléphone
2. le travailleur
3. l'électricité
4. la banlieue
[œ] et [o] :
1. le pinceau
2. le meuble
3. le château
4. la feuille
[E, [o] et [œ] :
1. l'escalier
2. l'eau
3. l'escalier
4. le cœur
5. le chapeau

Piste 44
1. un café
2. un voyageur
3. un chauffage
4. un bureau
5. un auteur
6. un frigo
7. un calendrier
8. en haut

Piste 45
1. Que penses-tu de la cuisine?
2. Le bureau est magnifique.
3. Vous ne devez pas mettre le canapé devant la fenêtre.
4. Le logement est petit.
5. Elles veulent habiter ensemble.
6. Ce petit appartement est dans le centre-ville.
7. Prends-le !
8. Les chaises se rangent facilement.
9. Je dois absolument acheter de nouveaux meubles.
10. La maison est grande !

UNITÉ 5

Piste 46

a. Les passagers du vol AF5870 de 14 h 54 à destination de Rome sont priés de se présenter porte 17.
b. Alors... notre vol, c'est le 5021 de 14 h 19. Oh non, il est annulé !
c. Le vol de 12 h 57 à destination de Zurich est annulé. Les passagers sont priés de se présenter au guichet.
d. Allô Marion ? Oui, c'est Tom, je suis à l'aéroport, je prends le vol de 12 h 39, C'est bon, il est à l'heure.

Piste 47

Aurélie : Moi, je me lève à 8 hparce que je suis rapide le matin. Je ne prends pas de petit déjeuner. Je commence le travail à 9 heures. Je mange à midi. À 17 h 30, je rentre chez moi. Sauf le mardi et le jeudi, j'ai cours de yoga à 18 h. Le soir, je dîne à 21 h et je me couche à 23 h 30.

Mathieu : Moi, je me lève tôt, à 6 h 30, parce que j'aime bien prendre mon temps le matin. Je commence le travail à 8 h et je finis à 13 h. À 13 h 30, je rentre chez moi et j'ai l'après-midi libre. À 16 h, je vais chercher ma fille à l'école. On dîne à 19 h 30 et je me couche à 22 h 30.

Piste 48

1. Il est quatre heures.
2. Il est tard, dit maman.
3. Le soir, il faut manger.
4. On déjeune ou on dîne.

Piste 49

1. le week-end
2. l'été
3. le lundi
4. l'après-midi
5. l'hiver
6. le matin

Piste 50

1. pendant
2. bus
3. boire
4. printemps

Piste 51

1. aller en boîte le vendredi
2. boire un verre
3. venir en bus
4. aller en vélo au bureau
5. on va au boulot
6. voir des bons amis

Piste 52

1. Elle se lève tôt et rentre tard le soir.
2. Elle travaille vingt heures par semaine.
3. C'est une journée très importante.
4. Nos heures supplémentaires sont payées.
5. Il prend toujours son petit déjeuner avant de partir.
6. En Suisse, on prend sa retraite à 65 ans.
7. C'est un grand acteur, j'adore ses films !

Piste 53

1. Il est arrivé à huit heures.
2. Il est midi au Québec.
3. Il va souvent au travail en métro.
4. Il est grand temps d'arriver à l'heure.
5. Je rentre tard à la maison.
6. Tu connais les horaires de bureau des Québécois ?
7. Les repas les plus importants de la journée sont le petit déjeuner et le déjeuner.
8. Il change ses horaires pour finir tôt et manger au bureau.

Piste 54

1. À quelle heure tu rentres chez toi le soir ?
2. Les horaires que tu as réalisés sont remarquables !
3. Tu te réveilles à quatre heures ?
4. Je dois rendre mon premier devoir de français le trois mars, le deuxième est pour septembre.

Piste 55

• Le matin, tu te rends directement au travail ?
◦ Non, je fais d'abord du sport pendant 40 minutes.

• À quelle heure, tu te réveilles, le matin ?
◦ Très tard. Pas avant 9 heures.

• Tu prends souvent des jours de congé ?
◦ Parfois, mais je prends un mois en été.

UNITÉ 6

Piste 56

• Bonjour Monsieur, c'est pour une enquête sur votre temps libre, vous avez une minute ?
◦ Oui, allez-y !
• Vous vous appelez... ?
◦ Pierre.
• Pierre, vous aimez les sorties culturelles ?
◦ Oui, je vais très souvent au musée et puis je vais souvent au cinéma aussi...
• Et vous sortez beaucoup le soir ?
◦ Non... de temps en temps, pour aller au restaurant avec des amis ou avec ma famille, mais c'est tout.
• D'accord. Et vous faites du sport ?
◦ J'essaie d'aller courir le week-end, mais c'est rare.
• Vous regardez souvent la télévision ?
◦ Non, jamais. Je n'ai pas de télé, mais je suis toujours connecté à Internet pour écouter de la musique et regarder des séries.
• Parfait ! Merci beaucoup Pierre, bonne journée !
◦ Mais de rien, au revoir.

Piste 57

a. Quand je suis en vacances, j'ai envie de partir loin. J'aime les destinations exotiques. Je pars souvent seul parce que je peux visiter des parcs naturels et observer les animaux dans le calme. De temps en temps, j'organise des vacances avec des amis qui aiment aussi découvrir de beaux paysages et faire des excursions dans la nature. Cet été, je pars en Afrique.

b. Quand je ne travaille pas, j'aime m'amuser. Je passe mes vacances avec des amis et on sort beaucoup le soir, pour aller boire un verre, manger au restaurant ou danser. On adore la musique, alors on choisit régulièrement nos destinations en fonction des festivals. On aime aussi les jeux, on va au casino de temps en temps et on joue au poker.
c. En général, je n'aime pas rester sans rien faire. Pendant les vacances, je fais beaucoup d'activités physiques. J'aime la montagne. L'hiver, je fais du ski et, au printemps, j'aime faire de l'escalade ou de la randonnée. L'été, je pars en vacances à la mer avec ma famille et je fais du surf, j'adore ça !

Piste 58
Ses loisirs.
C'est très populaire.
Nous sommes partis.
Ils sont mécontents.
Tout me va !

Ses envies de voyage.
C'est très à la mode.
Nous avons réservé.
Tout est organisé.
C'est au premier étage.

Piste 59
1. Mes amis font du surf.
2. Les Allemands sont accueillants.
3. Mes amis sont optimistes.
4. Et après, on visite quel monument ?
5. On aime jouer aux cartes.
6. Quand est-ce que tu prends du bon temps ?
7. Comment est-ce que tu vas au cours de piano ?
8. Combien a-t-il de frères et sœurs ?
9. On boit un verre avec des amis.
10. Vous allez à Marrakech ?
11. Mon copain aime le football.
12. Tu pars dans onze mois ?
13. Je pars en vacances dans huit jours.
14. Selon elle, il faut faire du sport régulièrement.

Piste 60
1. C'est mon émission préférée.
2. Partez-vous en vacances avec des amis ?
3. La maison est calme.
4. Et aujourd'hui, tu fais quoi ?
5. Quand est-ce que tu viens ?
6. Il a un copain original.

Piste 61
1.
• Comment est-ce que tu vas au travail ?
◦ Je prends le train et ensuite le métro.
2.
• Tu fais souvent du jogging ?
◦ Seulement de temps en temps.
3.
• Combien de jours de vacances vous avez ensemble ?
◦ Une semaine. Nous partons en Inde !

Piste 62
1. le sport
2. un loisir
3. un touriste
4. la musique
5. un instrument
6. danser
7. un musée
8. le surf

Piste 63
1. s'amuser
2. désespérer
3. saison
4. surprise

Piste 64
1. insister
2. casino
3. sport
4. paresseux
5. visiter
6. soirée
7. séjour
8. escalade
9. bizarre
10. s'intéresser
11. costume
12. douze

UNITÉ 7

Piste 65
Vous êtes place de Lavalette. Vous allez vers la rivière et vous prenez à gauche, sur le quai Claude Brosse. Ensuite, vous prenez la quatrième à gauche pour arriver à la place Saint André. Vous traversez la place puis, vous prenez à droite sur la Grande rue. Vous continuez tout droit et vous arrivez à la place Grenette.

Piste 66
a. Je les porte tous les jours, elles sont très confortables.
b. Elle la met surtout le week-end, pour sortir le soir.
c. Je le prends tous les jours à la même heure.
d. Tu les achètes où ?

Piste 67
1. un hôpital
2. une boulangerie
3. un café
4. la boucherie
5. une station-service

Piste 68
1. les touristes
2. le centre
3. les sites
4. ce monument
5. ces plages
6. ce sport

Piste 69
1. le musée - les musées
2. les sites naturels - le site naturel
3. ce parc -ces parcs
4. les quartiers - le quartier
5. ce stade - ces stades
6. le plan - les plans

Piste 70
Je vais visiter Nancy. Nancy est une ville française.

D'abord, je vais aller sur la Grand-Place.
Ensuite, je vais aller voir l'opéra.

Pour terminer, je vais vous accompagner au marché central, lieu incontournable de la gastronomie locale.

Piste 71
1.
• Tu connais cette nouvelle application ?
∘ Non, pas du tout, montre-moi !
• Regarde, c'est facile et rapide !

2.
• J'aimerais inviter ma copine au restaurant mais je n'ai pas assez d'argent.
∘ Tu peux utiliser l'application Kidil pour recevoir des offres promotionnelles.
• Trop cool ! Merci !

Piste 72
1. Achète des pommes.
Va au marché !
2. Prends des produits spécifiques.
Commandez-les sur Internet !
3. Soutenons l'agriculture locale !
N'oublie pas d'aller au supermarchés !
4. Mange du poisson.
Sois attentif à la qualité des produits !

Piste 73
1. recycle
2. rayure
3. tenues
4. livre
5. tu
6. pull
7. chemise
8. gris

Piste 74
• Salut !
∘ Salut Yves !
• Tu fais quoi cet après-midi ?
∘ Je vais visiter l'aquarium de Nancy.
• Ah bon pourquoi ?
∘ Aujourd'hui, il y a une exposition sur les îles du monde.
En plus, c'est gratuit !
• Ah cool ! T'as toujours des bons plans ! Tu les trouves où ?
∘ Sur l'appli museum. Tu connais pas ?
∘ Ben non mais montre-moi.
• Regarde, c'est super pratique. !
∘ Tu l'utilises souvent ?
• Oui pour tout, les musées, les commerces, les vêtements et tout ça.

Piste 75
1. origine / origine France / origine France garantie
2. gris / un pull gris / un petit pull gris
3. une chemise / une chemise à rayures / une chemise à rayures classique
4. du cuir / du cuir bio / du cuir 100 % biologique

UNITÉ 8

Piste 76
a. frire
b. verser
c. couper
d. cuire
e. mixer
f. mélanger

Piste 77
1. Sihem
Pour préparer mon hachis parmentier, j'ai besoin de sel et de poivre, une ou deux pincées. Il me faut aussi du lait, 50 centilitres et 50 grammes de beurre. Les ingrédients principaux sont la pomme de terre, j'en utilise un kilo et la viande hachée. Personnellement, j'aime quand il y a beaucoup de viande dans le hachis parmentier, c'est pourquoi j'utilise 750 grammes de viande de bœuf. Parfois, j'ajoute un peu de formage avant de mettre le plat au four.

2. Julien
Pour un bon hachis parmentier, il faut un peu de sel et de poivre, 20 centilitres de lait, 25 grammes de beurre, 400 grammes de pommes de terre, 400 grammes de viande de bœuf hachée et deux cuillères à soupe d'huile d'olive. J'aime bien ajouter de la moutarde dans ma recette, j'en mets 40 grammes et le résultat est délicieux !

Piste 78
Il est né en Amérique centrale, il y a très longtemps. Il a toujours été très important dans les cultures maya et aztèque. Après l'arrivée en Amérique de Christophe Colomb en 1492, les Espagnols l'ont découvert et il est arrivé en Espagne. Il a voyagé dans les autres pays d'Europe au XVIIe siècle. Aujourd'hui, les Suisses et les Belges sont ses ambassadeurs ; il est consommé blanc ou noir, liquide ou solide et il est devenu un symbole du goûter !

Piste 79
1. lundi
2. couleur
3. produits
4. boulanger
5. citron
6. goûter

Piste 80
1. la production
2. la nourriture
3. le coût
4. l'utilisation
5. l'ouverture
6. la découverte

Piste 81
1. des goûters sucrés
2. des boulangers et des producteurs
3. la production du jour
4. il y a beaucoup de légumes
5. la levure de boulangerie
6. la culture des courgettes

Piste 82
Je partage
Tu partages
Il / Elle / On partage
Nous partageons
Vous partagez
Ils / Elles partagent

Je mélange
Tu mélanges
Il / Elle / On mélange
Nous mélangeons
Vous mélangez
Ils / Elles mélangent

Piste 83
1. On partage du fromage.
2. On réchauffe un plat.
3. On choisit des sushis.
4. On change de recette.
5. On ne jette pas l'argent par les fenêtres.

Piste 84
1. orange
2. Asie
3. riz
4. citron
5. pain
6. café
7. sucre
8. poivre

Piste 85
1. Japon
2. anglais
3. boisson
4. aliment
5. Inde
6. pain

Piste 86
A
1. du pain blanc
2. Il y a 6000 années, en Inde...
3. plein d'aliments
4. du vin français

B
1. du bon pain
2. les jardins du fond
3. Ils ont introduit...
4. Il y a plein de camions.

Piste 87
1. J'ai mangé - Je mange
2. Je partage - J'ai partagé
3. Je cuisine - J'ai cuisiné
4. J'aime - J'ai aimé

Piste 88
1. Ils ont voyagé en Asie.
2. Ils sont partis en Asie.
3. On a acheté des calamars.
4. On est allé au marché.

Piste 89
1. Pour préparer une salade de riz, je mélange du riz, du thon, des tomates et des olives.
2. Pour préparer du riz au lait, nous mélangeons du riz, du lait, du sucre et de la cannelle.

DELF

Piste 90
Bienvenue sur le répondeur de l'Olympia, la salle mythique pour venir écouter vos artistes préférés. Nous sommes situés au 28, Boulevard des Capucines à Paris, à côté de la station de métro Madeleine, accessible par les lignes de métro 8 ou 14. Notre bureau d'accueil est ouvert tous les jours sauf le dimanche de 13 h à 20 h 30. Pour connaître notre programmation, tapez 1. Pour les réservations, tapez 2. Pour les informations pratiques, tapez 3.

Piste 91
À tous les namurois : ne manquez pas votre rendez-vous de l'année : Les Walloniades, sur la Place Saint-Aubain, ce samedi 16 septembre. Comme chaque année, des équipes vont jouer les unes contre les autres dans une ambiance sportive et conviviale. Vous voulez vous inscrire ? On vous rappelle que les équipes doivent être composées de sept adultes et de deux enfants. Si vous voulez venir vous amuser, appelez vite Gégé au 04 75 67 18 02.

Piste 92

« Allons au restaurant », cette année, c'est du 22 septembre au 1er octobre 2017. De nombreux restaurants participent à l'événement partout en France et vous proposent, pour un menu acheté, le deuxième gratuit. C'est une bonne occasion pour découvrir de nouveaux restaurants, différentes cuisines savoureuses et partager un moment en duo sympathique et surtout économique. L'année dernière vous étiez 600 000 à être allés au restaurant. Nous vous attendons encore nombreux cette année ! À bientôt au resto !

Piste 93

1. O lala, c'est pas possible, ça n'avance pas ! Tous les vendredis soir, c'est la même chose ! Les embouteillages pour sortir de la ville n'en finissent pas. Allez, avance !! O lala !

2.

Lucie : Je vais te dépasser, Marie !
Marie : Attends-moi !
Philippe : Quel plaisir cette balade à vélo ! Les enfants s'amusent, ils font un peu de sport...
Anne : Oui, et on profite du paysage et de l'air pur !

3.

Le train 6226 en provenance de Lille et à destination de Montpellier, départ prévu à 19 h 14, va entrer en gare voie A. Éloignez-vous de la bordure du quai, s'il vous plaît.

4.

Vous êtes à bord du vol 31670 à destination d'Abidjan. Le capitaine et toute son équipe vous souhaite un agréable voyage. Dans quelques minutes, nous allons vous présenter les consignes de sécurité et nous vous remercions d'avance pour votre attention.

5.

• Visiter la ville en calèche, quelle bonne idée !
◦ Gaston, doucement, doucement. Et voilà, le tour est terminé.
• Merci Monsieur ! C'était fantastique ! Nous nous sommes sentis comme prince et princesse... et votre cheval, il est vraiment gentil.

NOTES